LES NOUVELLES histoires DU soir

FLEURUS

Illustration de couverture : Céline Chevrel

Direction : Guillaume Arnaud
Direction éditoriale : Sarah Malherbe
Édition : Virginie Gerard-Gaucher et Virginie Lhomme
Direction artistique : Elisabeth Hebert, assistée de Amélie Hosteing
Mise en page : Julie Fanjeaux
Fabrication : Thierry Dubus

© Fleurus, Paris, 2010
Site : www.fleuruseditions.com
ISBN : 978-2-2150-4902-9
N° d'édition : 12 151
MDS : 651 379

Les nouvelles histoires du soir

FLEURUS

Choisis l'histoire que tu as envie

Tout d'un coup, **pffft** c'est comme si la photo l'aspirait…

Elle voit la dune s'approcher, s'approcher, et elle tombe assise dans le sable. La librairie a disparu. Le ciel, au-dessus d'elle, est plus bleu qu'une mer. Elle se relève et sent le sable chaud sous ses pieds.

Elle est au Sahara !

« Saaarah… Saaarah ! Saah

On dirait que le vent l'appelle…

Elle regarde autour d'elle. « Qui m'appelle ? Il y a quelqu'un ? » Le vent chaud chante et souffle, il caresse les dunes… Le sable devient comme un ruban de soie qui s'enroule et tournoie. On ne voit plus qu'un immense rideau, tissé de mille perles de sable, qui ondule. Et de nouveau, elle entend la voix :

« Sarah… Viens me voir…

Sarah, cherche-moi…

– Qui m'appelle ? »

aaaraaa... Saaahaaraa !!!... »

Sarah se met à courir sur les dunes.

Elle s'envole !

Le vent la porte comme une plume. Et tout à coup, devant elle, l'air sucré se transforme en fleurs aux mille parfums, puis en pierres aux mille couleurs. Sarah tend la main, mais il ne reste sur ses doigts que les minuscules gouttes d'une pluie de miel.

« Sarah ! Sarah !

crie plus fort maman dans la librairie.

Où es-tu ? »

Enfin, elle la trouve, assise dans son coin. « Sarah ! Cela fait dix fois que je t'appelle… Que fais-tu dans la pénombre ? » Sarah lève la tête, sort de son rêve. Elle essaie de se lever, mais ses jambes sont toutes molles.

« Petit Rubis, tu n'as pas l'air bien… » dit maman en lui caressant les cheveux. Elle regarde sa petite fille, un peu inquiète…

« Que t'arrive-t-il ? » Sarah se blottit dans les bras de sa mère, elle glisse son nez au creux de son cou : « Je ne sais pas… C'est bizarre ! » Sa maman sourit. Elle murmure à l'oreille de Sarah des mots doux pour la réconforter. Soudain son regard tombe sur le livre ouvert, sur cette photo d'oasis qui lui est si familière. « Rentrons, on parlera de ça avec papa. »

Connaît-elle la solution du mystère ?

DEPART'S ✈ TERM

« J'ai ouvert le livre, raconte Sarah, assise entre ses parents, j'ai regardé
une photo d'oasis, c'était comme si je la reconnaissais…
Et puis je me suis envolée, et je me suis retrouvée sur une dune.
Et il y avait quelqu'un qui n'arrêtait pas de répéter mon prénom dans
le vent… »

Les parents regardent leur petite fille couleur de pain d'épices, avec ses immenses
yeux verts comme les oasis. Ils sourient. Ils ont compris.

« Nous savons qui t'a appelée, Petit Rubis…
Quelqu'un que tu ne connais pas,
mais à qui tu ressembles… »

Et papa continue :

« C'est ta grand-mère, Sarah.
Tu portes son prénom. »

Sarah ouvre la bouche toute grande…

Papa poursuit : « Elle habitait dans un petit village, très loin, aux portes d'un grand désert. Elle est morte il y a longtemps, et nous attendions que tu sois grande pour t'emmener où elle vivait, et pour que tu fasses sa connaissance… Je crois que c'est le moment ! »

Voilà, c'est dit. Papa va prendre des billets d'avion.
Bientôt, ils partiront tous les trois…

Ils ont pris l'avion, puis une grosse Jeep. Quand elle s'est arrêtée, Sarah a bondi…

Maintenant, elle sent ses pieds, nus dans les sandales, s'enfoncer dans le sable. Les grains lui chatouillent les orteils. Elle pouffe. On dirait que le vent joue en riant dans les palmes des dattiers.

Sarah sourit au vent…

Sans attendre ses parents, elle part sur le chemin de cailloux blancs qui mène au village.

Elle regarde les petites maisons carrées de toutes les couleurs.

« On dirait des cubes en pâte à sel ! » et cela lui donne envie de rire.

Des villageois se rassemblent sur son passage, lui sourient comme s'ils la reconnaissaient. Sarah est stupéfaite.

Un vieil homme se détache de la foule. Il s'approche. Sa peau sombre est creusée par le sable et le vent, ses yeux clairs sont plissés dans un éternel sourire.

« Bienvenue, mon enfant.

– Tu me connais ?
demande Sarah.

– Tu ressembles tellement à ta grand-mère !
Tu es Sarah la petite, petite-fille de la grande Sarah !

– Je suis GRANDE, moi aussi ! » corrige-t-elle.

Et l'homme éclate de rire : « Oui, tu as raison ! Alors
écoute-moi, grande Sarah. Je m'appelle Seth, et j'étais
l'ami de ta grand-mère. Veux-tu que je t'emmène là où elle
vivait ? » Derrière Sarah, son père et sa mère approuvent ;
ils semblent connaître le vieil homme.

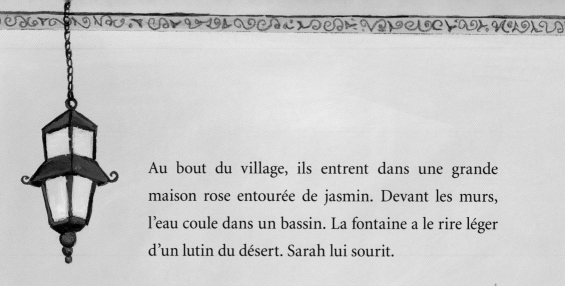

Au bout du village, ils entrent dans une grande maison rose entourée de jasmin. Devant les murs, l'eau coule dans un bassin. La fontaine a le rire léger d'un lutin du désert. Sarah lui sourit.

Dans la maison, un petit carillon de clochettes tintinnabule et rappelle le rire d'un enfant caché derrière une dune. Sarah sourit à l'enfant. Elle ferme les yeux, l'odeur sucrée la frappe – c'est un parfum qu'elle connaît…

« Les gouttes de miel ! » se souvient-elle.

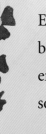

Elle ouvre de nouveau les yeux et ne peut s'empêcher de battre des mains : tout est beau dans la pièce, tout semble enchanté… Des voiles volent aux fenêtres, les coussins sont en fils dorés.

« C'est comme dans **les Mille et Une Nuits !** crie la petite fille.

– Ce sont les mille et une vies de ta grand-mère…, répond Seth.

Va découvrir ses secrets ! »

Alors, Sarah commence à courir dans les pièces. Ses mains sont devenues deux papillons rapides. Elles ouvrent des coffres, des petits, des grands, des boîtes en bois…

Dans chaque boîte, il y a des bijoux, des feuilles d'eucalyptus séchées, des couronnes de coquillages… Dans l'un des coffrets, Sarah trouve d'étranges fils orangés…

« C'est du safran, l'or des cuisiniers, le cœur d'une fleur que l'on nomme le crocus, explique Seth. La fleur naît avec la pluie, et la pluie dans le désert est bien rare. »

Sarah s'amuse à imaginer Seth et ses amis courir de fleur en fleur, après la pluie, pour ramasser les petits fils orangés qui vont parfumer leurs plats d'agneau et de semoule…

Ils courent pour attraper les fleurs, mais elles disparaissent, pfffuit, et ne laissent qu'un nuage dans leurs mains… Sarah pouffe de nouveau.

À cet instant, Seth ouvre une autre boîte.

« Tiens, Sarah, regarde ! »

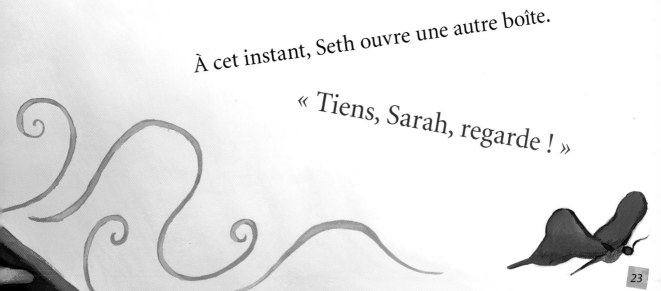

Dans la boîte, il y a des dizaines de photos jaunies. Sarah découvre une belle jeune femme, si belle avec ses cheveux flamboyants ! C'est sa grand-mère ! Enfin, elle connaît son visage. « C'est vrai que je lui ressemble ?

– Bien sûr, répond Seth. Et sais-tu pourquoi ? » Sarah secoue la tête.

« Regarde, sur chacune, ta grand-mère rit. Elle rit, à cheval, ou dans le vent de sable, ou sous la pluie de l'oasis… Elle rit de tout. C'est ce que signifie ton prénom, Sarah…

Un prénom très ancien,
celui d'une princesse du désert d'autrefois,
qui riait de tout… »

Sarah serre les photos contre elle. Soudain, elle comprend pourquoi la maison lui semblait si rieuse… Le vent dans les palmes, les clochettes de l'enfant, le lutin rieur de la fontaine, les fleurs qui s'envolent…

Tout ce que sa grand-mère a touché autrefois continue d'être secoué de rire.

Et elle aussi a ce pouvoir de faire rire ceux qu'elle aime.

Elle se tourne vers Seth et murmure : « Tu as raison, je lui ressemble…

Sauf que moi, je ne suis pas une princesse. »

Seth regarde Sarah : « Comme toutes les princesses, elle t'a sûrement laissé un trésor, quelque part.

Tu dois le trouver. »

On voit aux rides de ses yeux
qu'il s'amuse, mais sa voix est sérieuse.

Alors, Sarah recommence à marcher, à courir de pièce en pièce… Elle laisse glisser sa main sur les meubles cirés. Sur un pupitre, quelques feuilles de papier attendent, comme si quelqu'un se préparait à écrire.

« Tu sais, Sarah écrivait des contes qu'elle racontait aux enfants…,

dit Seth.

Elle savait comme personne

rendre les mots

magiques. »

Sarah ouvre la table et trouve un cahier rempli d'une belle écriture.
Dans un sourire, elle se met à rêver aux mots qui se détachent du
papier et qui se transforment en fée ailée, en lanterne multicolore
ou en licorne bleue.

« Quelle chance ! s'exclame-t-elle… C'est cela le trésor ? » Mais Seth
répond : « Cherche encore ! » Sarah repart, fouille, crie, s'exclame.
Ses parents rient.

Dans la chambre blanche de sa grand-mère, le lit est recouvert d'un énorme édredon : Sarah s'y enfonce… « Ça sent bon ! » Elle ouvre la table de nuit, trouve des fioles, des bracelets, des colliers extraordinaires…
« C'est ça le trésor ? » Tout au fond d'un tiroir, il y a une boîte en argent.

Sarah l'ouvre vite, vite : « Un petit bouquet de fleurs !!! C'est ça le trésor ? »
« Non, non, répond Seth… C'est sa couronne de mariée… des fleurs d'oranger, elle était ravissante ce jour-là. » Sarah frôle de ses doigts les pétales.

Un drôle de caillou trône de l'autre côté du lit, sur une table à trois pattes :

« C'est une rose des sables, faite de milliers de perles du Sahara.

Sarah l'avait trouvée lors d'un voyage, dit Seth.
Mais ce n'est pas le trésor… »

Déjà, Sarah est sortie de la pièce, elle longe le couloir… Tout au bout, un grand rideau de velours violet l'arrête dans sa course.

Son cœur bat la chamade et ses jambes tremblent un peu.

Elle chauffe,

elle brûle, elle le sent…

Elle pousse le rideau,
lentement,
lentement,
lentement…

La pièce secrète est toute petite, comme un écrin.

Dans un coin, Sarah aperçoit un petit coffret, pas plus grand

qu'un mouchoir de poche, posé sur une coiffeuse. Glissée dessous,

une feuille de papier est pliée.

« C'est le trésor !

Faut-il d'abord lire ?

Faut-il d'abord ouvrir ? »

Finalement, Sarah respire un grand coup et ouvre le coffret. Ses yeux s'agrandissent, sa bouche s'ouvre toute grande. Dans le coffret, ronde comme un cœur, rouge comme un coucher de soleil sur les dunes, étincelante comme toutes les étoiles réunies, il y a… une bague !

« C'est un rubis, Sarah, dit Seth. La pierre des princesses dans notre village… »

Délicatement, le vieil homme saisit le bijou, le passe au doigt de la petite fille.

« Elle est trop grande, dit-elle.

Tant pis, je mettrai deux doigts ! »

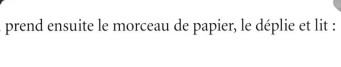
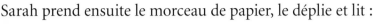

Sarah prend ensuite le morceau de papier, le déplie et lit :

« Petit Rubis, petite Sarah,

Je savais que tu viendrais un jour. J'aurais voulu être là… Ma petite-fille jolie, ma Sarah, cette bague de princesse est pour toi. Ma maman me l'avait donnée. Toutes les Sarah de notre famille l'ont eue, et toi tu la donneras à ton tour à ta fille ou à ta petite-fille. Ton papa m'a dit que tes cheveux étaient couleur de rubis. Cette bague te ressemble donc, comme elle me ressemblait… Te voilà maintenant princesse du désert et ton rire fera revivre cette maison. »

Sarah sent son cœur bondir de joie, mais sa gorge se serre… Elle va pleurer… Elle pleure. Ses larmes troublent les images qui se bousculent dans sa tête. Elle repense aux perles qui dansaient dans le vent. Ce vent si chaud, qui l'a conduit jusqu'ici. Sa maman la prend dans ses bras. « Ne pleure pas, ma jolie princesse, c'est un beau cadeau qu'elle t'a fait là… » Sarah se souvient de la voix si douce qui faisait chanter le vent.

« C'est trop beau, maman !

– Ta grand-mère t'a laissé tout simplement un peu de ce qu'elle était…
Mais tu sais, ton papa et moi, nous ne sommes pas surpris…

Nous savons depuis longtemps

que tu es une princesse,

notre princesse
qui rit de tout... »

Monsieur Lézard
au pôle Nord

« Et le gagnant de la grande tombola est... monsieur Lézard ! »
Monsieur Lézard n'en croit pas ses yeux : la roue s'est arrêtée
sur sa photo ! Il a gagné le grand voyage !
Il monte sur l'estrade et reçoit son billet d'avion :
« Vous partez ce soir, monsieur Lézard,
toutes nos félicitations !
– Vite, vite, je n'ai que
quelques heures pour
faire ma valise !
Prenons l'essentiel pour
partir en vacances :
ma serviette de plage, ma
crème solaire, mes palmes,
mon masque, mon filet
à crevettes.
Mon caleçon de bain, mes
tongs et mon tee-shirt
préféré, je les mettrai sur moi,
cela fera toujours ça de moins
à porter ! »

Et monsieur Lézard court
à l'aéroport et saute dans son avion. Au moment
d'atterrir, il regarde par le hublot :
dehors, tout est blanc, immaculé.
« Qu'est-ce que c'est que ça ? On dirait de la neige.
– Nous sommes arrivés au pôle Nord.
Température extérieure : moins 40 degrés.
La compagnie Animalairlines vous souhaite un agréable séjour,
dit l'hôtesse de l'air dans son micro.
– Saperlipopette, quel mauvais rêve je fais là ! » se dit monsieur Lézard.
Mais quand la porte de l'avion s'ouvre, des tourbillons de neige
emportent son chapeau de paille, des flocons se collent à ses lunettes
de soleil, et il fait si froid que ses genoux font des castagnettes
et que ses dents applaudissent sans arrêt.
« Sauve qui peut ! Je suis dans un frigo géant !
Je vais devenir un lézard congelé ! » crie-t-il.

Un ours polaire le rattrape :
« Vous êtes monsieur Lézard,
le gagnant de la tombola ?
– Oui, c'est, glaglagla, c'est
moi, bégaie monsieur
Lézard.
– Dites donc, vous avez
une drôle de tenue pour
le pôle Nord : vous êtes
réchauffé, vous !
– C'est qu'il y a une
erreur : j'ai gagné un voyage
au soleil, sur les îles !
– Mais non ! Regardez votre
billet ! Allez ! Je vous conduis
à votre hôtel-igloo.
Ils vous prêteront une doudoune, un bonnet,
des gants, une écharpe, pour que vous
ayez chaud !
Grimpez dans ce taxi-traîneau ! »

Quand il arrive à l'hôtel-igloo, monsieur Lézard
ne sent plus ses pattes et grelotte de fièvre.
Il se met au lit, avec une bonne bouillotte.
Et il passe une semaine sous la couette
et les peaux de bête à soigner son vilain rhume.

Quel début de vacances !

Quand il est enfin rétabli, l'ours polaire l'accompagne
à la pêche sur la banquise. L'ours ne peut s'empêcher d'éclater
de rire en voyant arriver monsieur Lézard qui ressemble
à un gros bonhomme de neige en anorak.
Il a mis des couches et des couches d'habits : douze pulls,
trois pantalons, quatre bonnets...
« Au moins, cette fois, je n'aurai pas froid ! » lui dit-il, vexé.
Mais la partie de pêche les réconcilie bien vite. Une fois que l'ours
a appris au lézard à faire un trou dans la banquise et à monter sa
canne à pêche, monsieur Lézard se révèle très doué : les poissons
n'en finissent pas de mordre à son hameçon, si bien qu'à la fin
de la journée, les deux amis se font un festin de poissons grillés
en trinquant à l'aquavit !
« Finalement, c'est pas si mal, le pôle Nord, dit monsieur Lézard.
Mais la prochaine fois, c'est sûr,
je regarderai mon billet
avant de partir en
vacances ! »

Léon le lion
en vacances au zoo

Un jour, dans la poche d'un chasseur qu'il avait capturé, le lion Léon trouva un papier avec une photo. Léon mangea le chasseur et lut le papier.

Il y avait le nom et l'adresse d'un zoo qui, à deux mille kilomètres, cherchait un fauve à mettre dans ses cages. Et il se dit qu'en vérité ce zoo semblait l'endroit idéal pour aller se reposer, après une dure année en brousse.

Il décida donc d'y partir pour les vacances d'été. Il mit dans sa valise deux gros gigots d'antilope, une crinière de rechange, sa brosse à dents, et il partit pour le zoo.

Bien entendu, l'arrivée de Léon
surprit énormément le gardien du zoo.
Le pauvre homme s'évanouit, et il fallut le réveiller trois fois
pour lui demander la clé et une cage suffisamment spacieuse.
Le ménage laissait un peu à désirer – c'est toujours comme ça
dans les chambres d'hôtes, n'est-ce pas ? – et quand Léon voulut
se renseigner sur le menu, on lui répondit :
« De la vache, comme pour tout le monde… »
Cela commençait bien !
Mais bon, on n'allait pas se plaindre : dans la brousse, croyez-
vous que les antilopes courent moins vite ou que les zèbres sont
moins vigilants, sous prétexte que c'est l'été ? Non, non, ils ne
prennent jamais de repos. Au zoo, au moins, la viande est servie
déjà morte et prête à dévorer : c'est cela, les vacances.

Le premier jour, Léon passa donc
le plus clair de son temps à manger.

Le deuxième jour,
il le consacra à bâiller, pour digérer.

Le troisième jour, il dormit énormément,
en se tournant trois fois sur le ventre,
trois fois sur le dos, comme un toast
en train de griller au soleil.

Mais le quatrième jour,
Léon commença à trouver
le temps long.

Comme le prospectus
l'annonçait, il n'avait pas besoin
de faire des visites : c'étaient les gens qui venaient jusqu'à lui.
Il avait bien rigolé, au début, en regardant les enfants,
les papas et les mamans à la queue leu leu qui se
poussaient pour le voir… Les enfants faisaient
« Rooar », ou bien « Grrr », pour l'imiter et essayer
de le réveiller.
De la viande et des jeux, il ne pouvait rêver mieux…
Mais, à force, ça interrompait la sieste. Alors, un après-midi,
Léon entrouvrit une paupière sur son œil jaune, regarda droit
dans les yeux un petit curieux, à travers les barreaux.
Et calmement, il poussa son fameux rugissement.
Cela fit : GRRRROAAAARRR. Enfin, à peu près.

Tout le monde l'entendit crier, à dix kilomètres à la ronde. Il y eut quatorze scènes de panique, trois crises de terreur, une attaque cardiaque, et les pompiers durent répondre à cent vingt-huit appels en même temps. Sans compter que, parmi les autres animaux, certains devinrent blancs, bleu ciel ou verts de peur.

Alors, les singes, les phoques, les rhinocéros se rendirent tous en délégation auprès du directeur du zoo.
Ils lui expliquèrent que Léon n'était pas comme eux. Il n'était pas sérieux, il faisait les choses avec désinvolture, en touriste… Alors qu'eux, ils n'arrêtaient pas : ils devaient faire des acrobaties, jongler avec des poissons ou charger dans la poussière pour avoir à manger. Il n'y avait aucune raison qu'un lion en vacances les dérange et les empêche de gagner leur bifteck.
« Si vous croyez qu'on est là pour s'amuser… » bougonna même Féroce, le plus vieux des rhinocéros.

Le directeur trouva qu'ils avaient raison. Il convoqua Léon pour lui expliquer que si, désormais, il voulait manger, il ne devrait plus faire la sieste, mais montrer un peu les dents pour impressionner les clients. Et toutes les deux heures au moins. Et sans rugir.

Léon trouva cela trop fatigant : dans la brousse, il n'avait besoin de retrousser les babines que tous les trois jours, le temps de terrifier un zèbre pour le capturer. D'ailleurs, il trouvait qu'un animal qui a eu la frousse et s'est enfui avait meilleur goût que ces vaches mortes…

Et il devait reconnaître qu'à force, le soleil rouge couchant sur la savane lui manquait, et aussi le cri des vautours, le soir, au-dessus des baobabs.

Alors, il fit sa valise et repartit chez lui.

Madame Cochonne
à la thalasso

« Cette année, c'est décidé, pour être belle en maillot, je vais me faire une petite thalasso ! s'écrie madame Cochonne en se regardant dans la glace. À moi les bains de boue et les cours d'aquagym ! Je vais retrouver ma taille de jeune fille ! »

Pour son premier jour de cure, madame Cochonne est toute guillerette : elle a reçu un beau peignoir tout neuf, bien épais, bien moelleux, et une paire de sandales en plastique, très chics.

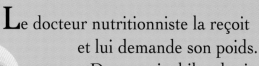

Le docteur nutritionniste la reçoit
et lui demande son poids.

« Deux petits kilos de rien du tout, dit
madame Cochonne, qui n'aime pas trop
qu'on la questionne.

– Vous êtes sûre ? Et que mangez-vous
habituellement ?

– Rien que des légumes et des fruits,
évidemment ! ment madame Cochonne.

– Ah bon ? Eh bien, madame, nous nous
reverrons à la fin du séjour. Bonne cure ! »

Madame cochonne ronchonne. Quel malappris !
On ne demande pas son poids à une dame, tout de même !
Mais elle n'a pas le temps d'y penser plus avant, son premier
cours d'aquagym va commencer. Elle enlève son peignoir et
entre dans l'eau, toute fière de son nouveau maillot à pois
et de son bonnet de bain avec de faux nénuphars dessus.

Le professeur est un guépard, musclé, élancé, bronzé.
Il se tient au bord du bassin et montre les mouvements
aux animaux dans l'eau.

« Et une, et deux, on inspire, on souffle, on pousse sur
ses pattes arrière, on lève ses pattes avant, en cadence ! »
Au bout de seulement trois mouvements, madame Cochonne
a le souffle coupé.

Finie la torture ! Elle se met sur le dos et fait la planche,
en crachant de l'eau comme une baleine.
« Hé, madame Cochonne, on fait un effort,
s'il vous plaît ! lui crie le guépard.
– Mais c'est trop dur, et j'ai déjà
des courbatures !
– Allez, allez, il faut se muscler ! »
Madame Cochonne n'est pas de cet avis :
elle s'enfonce sous l'eau, pour éviter la séance
d'abdos. Quand elle ressort la tête, elle entend :
« Bon, c'est fini pour aujourd'hui !
Pour vous récompenser :
un bon déjeuner ! »

courgettes...

brocolis...

frites !

Alors madame Cochonne sort de la piscine, enfile son beau peignoir et court vers la cafétéria. Elle a si faim que son ventre fait des nœuds.

Mais au menu, c'est courgettes vapeur, brocolis sans sauce, carottes crues ! Madame Cochonne a la berlue :

« Pas de frites ni de glaces ! Vous parlez d'un palace ! »

Alors, pour se consoler, en mangeant sa petite assiette, elle pense au bain de boue de cet après-midi.

Quelle fête cela va être !

Et effectivement : elle se sent si bien dans la boue qu'elle
patauge, se tortille, éclabousse en poussant des cris de joie.
Alertée par le bruit, la responsable de l'établissement, une
élégante chatte angora blanche très distinguée, fait irruption
dans la pièce.
« Mais que faites-vous, madame Cochonne ? Regardez dans
quel état vous avez mis cet endroit ! C'est inadmissible !
Sortez du bain immédiatement ! »
Et madame Cochonne sort de la boue en faisant la moue.

Le soir, madame Cochonne a un gros coup de cafard.
Elle téléphone à monsieur Cochon en pleurant :
« Je suis malheureuse ici, la gymnastique, c'est trop dur,
la nourriture, que de la verdure, et dans les bains de boue,
il faut rester immobile comme une figure de proue !
– Ma douce, je viens immédiatement vous chercher.
Cet endroit n'est pas pour vous ! »

Et monsieur Cochon arrive en voiture de sport rouge
et emmène madame Cochonne, devinez où ?
Au restaurant.

Le père Noël à la plage

Cette année-là, le père Noël choisit pour ses vacances une
plage grande, belle et déserte des îles du Pacifique.
Il venait de terminer la fabrication des cadeaux et voulait
se reposer avant de commencer les paquets.
Il arriva donc ce jour-là, en traîneau, au-dessus de la plage.
Et tandis que son attelage de rennes enfilait
des costumes de bain rayés,
le père Noël quitta
sa houppelande.

Il avait un ventre tellement gros qu'il faisait ressortir son slip de bain rouge. Et une barbe blanche tellement énorme qu'elle dissimulait presque son si gros ventre.

Il sortit de sa hotte une magnifique bouée jaune, en forme de canard, qu'il comptait offrir à Noémie dans six mois. (Le père Noël, quand il est en vacances, utilise tous les cadeaux qu'il vient de terminer pour vérifier qu'ils marchent bien.)
Et il partit en courant vers la mer en chantant à tue-tête :
« Vive le vent, vive le vent,
vive le vent d'été… »
Comme il savait mal
nager, il se contenta
de se laisser flotter,
dans sa bouée.

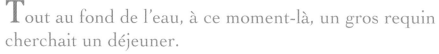

Tout au fond de l'eau, à ce moment-là, un gros requin
cherchait un déjeuner.
Crunch ! Crunch ! Crunch !
Il attrappa une bouée canard jaune crevée, tandis
qu'un vieil homme chauve et barbu le regardait en
crachant de l'eau salée et en faisant la brasse…
Le requin ouvrit de nouveau la gueule, pour finir
son repas avec ce nageur. Mais alors, il vit
le père Noël fouiller dans son dos, dans
une espèce de hotte et brandir
un énorme fusil à harpon.

Le père Noël, qui était très fâché, avait
décidé de se servir du cadeau de Joël,
le chasseur sous-marin. Alors, le requin
préféra prendre ses nageoires à son cou.
Mais le père Noël était vraiment furieux
maintenant. Ses vacances étaient gâchées :
le requin avait crevé sa bouée.

Le père Noël se lança à la poursuite du coupable.
Il commença par nager, mais il prit du retard.
Alors, il tira de sa hotte le pédalo qu'il destinait à Robert,
le maître nageur. Et il se mit à pédaler.
Mais le requin nageait trop rapidement, alors le père Noël
fouilla encore et sortit du fond de sa hotte une barque et
un gros bateau à voiles.
Finalement, il trouva un énorme porte-avions.
C'était le cadeau qu'avait demandé Raymond,
l'amiral de la flotte de guerre.
Avec ça, le père Noël eut tôt fait de rejoindre
le requin et d'en faire des pièces détachées.

Cette année-là, pour Noël, Noémie
ne reçut pas la bouée qu'elle avait
commandée, mais un demi-requin
empaillé...

Le père Noël avait parfois de
drôles d'idées, quand même !

Les vacances de madame la Pieuvre

« Enfin les vacances ! s'écrie madame la Pieuvre en rentrant du travail. Je les ai bien méritées, cette année, avec toutes les enveloppes que j'ai tamponnées ! »
Madame la Pieuvre travaille à la poste.
Comme elle a beaucoup de bras, personne n'est plus rapide qu'elle pour tamponner toutes les lettres que les animaux envoient !
Et hop ! Madame la Pieuvre attrape avec tous ses bras son paréo, son bikini, ses espadrilles, ses robes d'été. Elle remplit sa valise et saute dans sa voiture, direction Animo-les-Bains.

À peine arrivée à la mer, elle court sur la plage, étend sa serviette, plante son parasol, se tartine de crème et s'allonge. Ah ! Le doux clapotis des vagues !
« Madame, madame !
— Quoi, répond la pieuvre, pas très contente qu'on la dérange.
— Vous ne pourriez pas m'aider, s'il vous plaît, lui demande un petit hérisson. Le club des oursins organise un concours de châteaux de sable. S'il vous plaît, aidez-moi à gagner. »
Devant l'air suppliant du petit hérisson, madame la Pieuvre craque.
« Ils vont voir ce qu'ils vont voir », dit-elle.

Et le spectacle commence : la pieuvre fait voltiger les pelles et les seaux. Avec un bras, elle creuse le sable, avec un autre, elle remplit le seau, avec un autre encore, elle fait les quatre tours, les murs, les douves, et avec son dernier bras, elle décore le magnifique château de coquillages, tout ça dans le même mouvement !
« On a gagné !
Bravo ! » crie le petit hérisson.

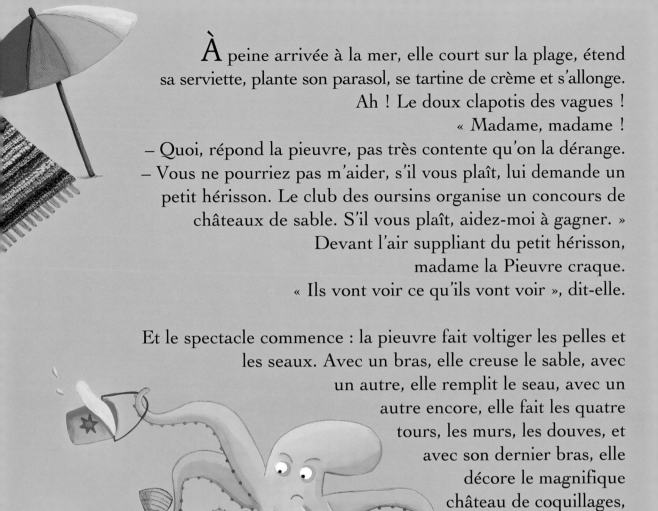

Exténuée, la pieuvre
se recouche sur sa serviette.
« Madame, madame !
– Quoi encore ! Je dors ! répond la pieuvre.
– Je suis la marchande de crêpes, lui dit une poule. J'ai besoin
de votre aide. Un car de touristes vient d'arriver. Ils veulent
tous des crêpes, et toute seule, je ne vais pas y arriver. »
Devant l'air désolé de la poule, madame la Pieuvre craque.
« Ils vont voir ce qu'ils vont voir », dit-elle.

Et hop ! La pieuvre fait voltiger les louches et les poêles. Avec
un bras, elle remplit la louche de pâte à crêpes, avec un autre,
elle fait sauter la crêpe dans les airs, avec un autre encore, elle
met le sucre ou le chocolat et l'emballe dans un papier, et avec
son dernier bras, elle la tend au client, encaisse l'argent, rend la
monnaie, tout ça dans le même mouvement !
« Merci, oh ! merci, dit la poule, tous mes clients sont contents. »

Exténuée, la pieuvre se recouche sur sa serviette.
« Madame, madame, murmure une petite voix.
– Ah non ! Ça ne va pas recommencer ! Je suis
en vacances, et c'est pire qu'au travail !
– J'ai trouvé votre bague dans la crêpe que je mangeais.
Je viens vous la rapporter.
– Oh ! Comme c'est gentil ! Merci, mon petit », lui dit
la pieuvre qui s'est radoucie.

Et madame la Pieuvre remit sa bague et s'endormit
sur sa serviette, le cœur content.

Le trésor d'Hugo

« Hugo, Hugo, réveille-toi, nous sommes arrivés ! »
Après un long voyage en voiture jusqu'en Allemagne, j'ouvre péniblement les yeux. Mais en découvrant l'endroit où nous allons passer nos vacances, je reconnais que l'effort en vaut la peine :

« Wahou ! Un château, un vrai ! »

Entourée d'une magnifique forêt, une bâtisse médiévale se dresse fièrement.

« Je t'avais bien dit que nous allions dans un château ! s'amuse maman.

– Oui, mais parfois, je ne vois pas les choses comme toi ! »

Papa sourit en pensant au jour où nous sommes allés voir un cirque : je m'attendais à admirer des acrobates et à applaudir des clowns, mais il n'y avait que des montagnes ! Depuis, je me méfie…

« *Wilcommen*[1] *!* nous accueille un vieux monsieur barbu.

– *Guten Tag*[2], Hans, répond maman. Je suis si contente de vous revoir ! »

Quand elle était jeune, maman a habité pendant un an chez Hans et Greta pour apprendre l'allemand. Elle nous parle tout le temps de ce séjour. Lorsqu'ils nous ont invités, elle était vraiment ravie !

1. « Bienvenue ! » en allemand.
2. « Bonjour. »

64

« *Wie heisst du ?* » me demande notre hôte.

Ça, maman me l'a appris, ça veut dire : « Comment t'appelles-tu ? »

« Hugo !

– C'est en l'honneur de Hugo le Renard, ajoute maman. Le seigneur qui a bâti le château.

– *Wunderbar[3] !* » s'exclame Hans en nous guidant vers l'entrée.

3. « C'est merveilleux ! »

En m'approchant du bâtiment, je chuchote à papa, un peu déçu : « Mais c'est une ruine !

– Oui, répond papa avec un clin d'œil.

Il est beau de loin… mais loin d'être beau ! »

En riant, nous entrons dans le hall.

À l'intérieur, ça ne vaut guère mieux. Tout est délabré et très différent de ce que je pensais trouver dans un vrai château.

« Hugo, regarde ! » m'appelle Hans qui me montre une sorte d'écusson peint sur un mur.

« C'est le blason du seigneur Hugo » explique maman.

Il représente un renard posant une patte sur un coffre. Et au-dessous…

« Qu'est-ce que c'est ?

– Un cadran solaire » répond papa.

Maman, qui sait tout sur le château, précise :

« Le seigneur Hugo était toujours à l'heure. Et il est symbolisé sur l'écusson par un renard : on le surnommait ainsi car il était très malin ! »

Je hoche la tête, mais ce qui m'intrigue le plus, c'est le coffre fermé.

Curieux, j'interroge encore : « Il y a un trésor dans le coffre ?

– Oui et c'est le drame de la famille… Grâce à son intelligence, Hugo avait gagné beaucoup de batailles et était devenu très riche. Mais un jour, il a fait une chute de cheval et il est mort. Il n'avait jamais dit où il cachait son or, et personne n'a pu le retrouver. Comme Hugo n'était pas marié, son frère a hérité du château. Hans est son descendant, mais entretenir une telle demeure coûte beaucoup d'argent, et sans trésor, il n'y arrive plus. »

Maintenant, je comprends mieux pourquoi le château est dans cet état, et je soupire :

« C'est trop dommage !

– Le pire, ajoute maman, c'est que Hans va devoir vendre l'héritage familial. Pendant longtemps, lui et Greta ont reçu des étudiants comme moi. Mais aujourd'hui, très peu d'élèves apprennent l'allemand, alors ils n'ont plus d'argent.

C'est aussi pour cela qu'ils nous ont invités, pour que je revoie une dernière fois ce château que j'ai tant aimé. »

Je m'écrie : « Mais on ne peut pas laisser faire ça !

– Malheureusement, il n'y a pas d'autre solution.

– Il faut retrouver le trésor.

Il doit bien être quelque part ! »

Hans, qui parle un peu français, a compris ce que je viens de dire.

Il se met à rire et répond avec un accent terrible :

« On a cherché le trésor sept cents années. Jamais trouvé ! »

Il me met la main sur l'épaule et conclut : « Gentil Hugo, mais trop rêveur ! »

Je ne dis rien, mais je sais bien que je ne suis pas rêveur. Et alors que nous allons

vers la salle à manger pour dîner, je décide de prouver à Hans qu'il a tort…

J'ai une faim de loup ! Greta, les tresses autour de la tête, nous sert une choucroute comme jamais je n'en ai mangé. Elle ne parle pas un mot de français, mais elle est très gentille. Tout en souriant, elle me donne bretzel sur bretzel que je dévore avec appétit.

Après le repas, maman nous entraîne dans la bibliothèque, sa pièce préférée.

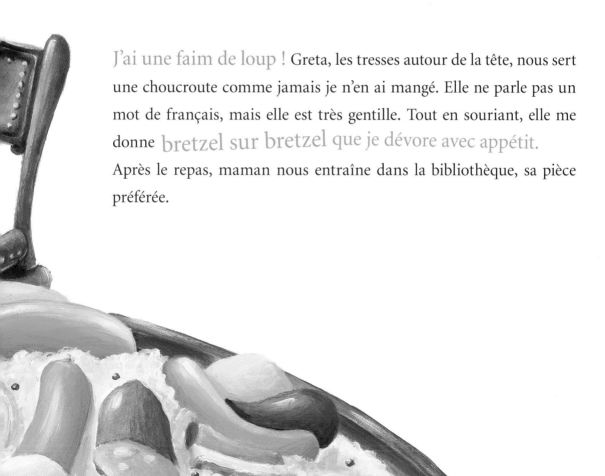

En entrant, mes yeux se fixent immédiatement sur une magnifique sculpture qui trône sur la cheminée.

« Oh, un renard !
On a presque l'impression qu'il est vivant !

– C'est à cause de ses yeux, explique maman. La statue est en bronze, mais les yeux sont en topaze.

– C'est le dernier souvenir, enchaîne Hans avec tristesse. Impossible à enlever, impossible à vendre.

– Il date de l'époque du seigneur Hugo, ajoute maman. Il a été scellé dans la pierre et n'a jamais bougé depuis ! »

Pendant que mes parents et Hans regardent les livres de la bibliothèque, j'admire la statue, fasciné. Dans la lumière du soir, les yeux du renard brillent d'un éclat jaune et semblent vouloir me dire quelque chose…

La nuit, couché dans un lit trois fois trop grand pour moi, je repense au mystère du trésor disparu. On ne peut pas laisser Hans et Greta perdre le château de leurs ancêtres ; je suis sûr qu'il suffit de bien chercher. Je m'endors et commence à rêver…

Je vois apparaître un chevalier revêtu d'une armure étincelante. D'autres s'avancent pour l'attaquer, mais grâce à sa ruse, il les bat tous. En récompense, il reçoit une coupe remplie de pièces d'or. Quand il lève son écu en signe de victoire, je reconnais le blason du seigneur Hugo.

Il ouvre alors son heaume et me dit :

« Mon trésor est bien caché et difficile à découvrir.

Mais si tu es digne de ton prénom, petit Hugo,

tu réussiras ! »

Ses yeux se mettent à briller. Ils sont jaunes comme des topazes ! Je me réveille en sursaut, ébloui par le soleil qui perce à travers les rideaux. Il est encore tôt, mais je n'ai plus envie de dormir.

Je bondis hors de mon lit et me précipite dans la chambre de mes parents.

« Debout tout le monde. Il est huit heures ! »

Papa ouvre un œil et râle :

« Pour le soleil, il n'est que six heures. Va te recoucher !

– Je ne peux pas, j'ai une question très importante à poser ! Ça veut dire quelque chose "Hugo" ?

– Débrouille-toi avec ta mère, ronchonne papa en se tournant. C'est elle qui a voulu t'appeler ainsi. »

Maman bâille et marmonne d'une voix ensommeillée :

« Hugo vient du mot allemand *hug* qui signifie "intelligence".

Pour trouver le trésor, il faut être intelligent et malin…

– Youpi, j'ai compris !

Aussi malin que Hugo le Renard !

– Encore cette histoire de trésor, soupire papa. Combien de fois faudra-t-il te dire… »

Mais je n'entends pas la fin de sa phrase : je suis déjà reparti. C'est qu'il ne faut pas que je traîne, j'ai tout un château à explorer, moi !

Je commence par le grenier. Je monte plein d'escaliers et je finis par une échelle de bois. Quand j'arrive enfin tout en haut, je suis déçu : il n'y a là qu'un immense grenier vide… et beaucoup de poussière ! J'en fais quand même soigneusement le tour, mais ne trouve aucune cachette.

Sans attendre, je m'attaque au donjon. J'y découvre quelques chaises cassées, un matelas défoncé et trois vieilles chouettes. Je tapote sur tous les murs et commence à avoir mal aux doigts, mais toujours pas de trésor !

En traînant un peu les pieds, je visite le premier étage. Là aussi, la plupart des pièces sont vides. Je me souviens de ce qu'a dit Hans : tout a été vendu, à part le renard de bronze.

Je me sens soudain découragé :

le château est gigantesque et moi bien petit.

Il m'est impossible de tout fouiller en détail !

Je repense alors aux paroles du seigneur Hugo : pour trouver son trésor, il faut faire preuve d'intelligence… Pourquoi donc suis-je en train de courir au lieu de réfléchir ? Je m'assois par terre et me concentre très fort. Mes yeux tombent soudain sur le fameux blason peint au-dessus de chaque porte. Une idée me traverse l'esprit : et si le gardien du trésor était un renard ?

Je bondis sur mes pieds en criant :

« J'ai trouvé ! »

Quelques secondes plus tard, j'entre en trombe dans la bibliothèque sous les yeux éberlués de papa. Sans rien lui expliquer, je me précipite sur la statue, mais impossible de la faire bouger. Quelque chose pourtant me surprend : les yeux du renard ne brillent pas.

Puis je comprends : à cette heure,

le soleil n'envahit pas encore la pièce

et ne fait donc pas briller les yeux de topaze.

Je repense alors à mon rêve et aux yeux jaunes du seigneur Hugo… Et si c'étaient eux la clef de la cachette ? Soudain, en observant le blason, une idée incroyable me passe par la tête. Il faut que je demande de l'aide à papa.

« Dis, papa, comment ça marche un cadran solaire ?

– C'est facile, répond-il en posant son livre. Les chiffres représentent les heures, et l'ombre du petit bout de bois planté au centre indique l'heure.

– Et sur le cadran solaire du blason, il est quelle heure ? »

Papa jette un coup d'œil aux chiffres romains :

« Trois heures, si je ne me trompe pas.
– Oh, merci papa ! »

Et à sa grande surprise, je lui saute au cou.

En passant devant l'horloge posée sur le buffet, je vois qu'il n'est que onze heures. Zut, j'ai encore quatre heures à attendre !

Quand enfin j'entends sonner trois heures,

je suis déjà dans la bibliothèque. J'ai ouvert tous les

rideaux pour que la lumière entre à flots, et je me tiens face à la statue.

Les rayons du soleil font briller les yeux de topaze et leur éclat se reflète sur la couverture d'un vieux livre.

Je me précipite sur l'ouvrage et le sors de l'étagère. Le cœur battant, je tapote le mur derrière. Rien ne se passe. Moi qui pensais découvrir une cachette secrète, je suis dépité. Je feuillette alors le livre, espérant trouver une carte au trésor. Mais, bien sûr, tout est écrit en allemand !

Cette fois, je vais chercher de l'aide auprès de maman :

« Tu peux me dire de quoi parle ce livre ? »

Maman pose ses mots croisés et regarde l'ouvrage.

« C'est un recueil de poésies, mon chéri. Pourquoi ? »

Horriblement déçu, je lui confie mon secret. Elle me serre dans ses bras en chuchotant : « C'est très gentil de vouloir aider Hans, mais la carte au trésor n'est sûrement pas dans un livre.

Car à l'époque du seigneur Hugo,

les livres n'existaient pas encore. »

Le soir, dans mon lit, j'ai le cœur gros…

J'étais tellement sûr d'y arriver, d'avoir tout compris ! Je m'endors en pensant que Hans avait raison : un petit garçon, même appelé Hugo, ne peut pas être plus malin que tout le monde.

« Holà, jeune homme, on se décourage bien facilement ! »

Le chevalier au blason orné d'un renard ne semble pas content.

« Je n'ai jamais dit que ce serait facile… Tu y es presque, alors n'abandonne pas si vite, et fais travailler ton intelligence ! »

Je me réveille encore en sursaut. J'ai bien envie d'aller sauter sur le lit de mes parents, mais je me souviens que l'autre matin, papa n'était pas content. Je l'entends encore râler en disant…

Soudain, je me dresse sur mon lit :

« Mais bien sûr ! Cette fois, j'ai tout compris ! »

Comme c'est long d'attendre sans rien pouvoir faire pour que le temps passe plus vite ! Surtout que je ne veux parler à personne de mon secret. Après mes mésaventures, tout le monde se moquerait.

La matinée n'en finit pas… Heureusement, après le déjeuner, Hans et Greta nous proposent une grande balade dans la forêt qui entoure le château. Moi qui d'habitude n'aime pas marcher, j'accepte avec enthousiasme. Mais toutes les trois minutes, je demande l'heure.

« Pourquoi ? Tu as un train à prendre ? »

interroge papa que ça énerve.

Hans rigole dans sa barbe et Greta, qui croit que j'ai faim, me fourre un bretzel dans la main. Je ris sans rien dire, mais à quatre heures et demie, j'insiste pour rentrer.

Vingt minutes plus tard, je suis de nouveau dans la bibliothèque…

Quand l'horloge sonne cinq heures, les yeux topaze du renard illuminent le vieux blason peint sur le mur. Je grimpe sur une chaise et, en passant la main, je remarque que le cadran solaire bouge un peu. Mon cœur se met à battre très fort. Je respire un grand coup et j'appuie à fond. Le cadran s'enfonce en faisant un

« clang » sonore.

Une grosse pierre pivote…

et un coffre apparaît !

91

« Le trésor !
J'ai trouvé le trésor ! »

Je hurle tellement fort que tout le monde arrive en courant.

Il y a d'abord un silence lorsque je brandis le coffre à bout de bras, puis tous se mettent à crier. Hans se précipite pour ouvrir le couvercle, et comme dans les films de pirates, apparaissent plein de pièces d'or !

Papa n'arrête pas de me passer sa main dans les cheveux en répétant :

« Ça alors, fiston ! »

Maman, Greta et Hans, eux, m'étouffent de baisers.

Puis je leur explique tout : mes rêves, le cadran solaire et comment j'ai compris que l'heure de l'horloge n'était pas la même que celle du soleil. Ils étaient tous stupéfaits, mais le plus beau compliment que j'ai eu, c'est quand papa a dit :

« Hugo, mon fiston,
tu es vraiment digne de ton prénom ! »

Abracadabra !
Obrocodobro !

« Les enfants, je vous préviens, on n'emporte pas toute la maison !
Cette année, nous allons voyager léger ! »
Si la maman dit ça, c'est parce qu'elle connaît bien sa famille…
Chez les magiciens, c'est le même problème chaque année :
au moment de partir en vacances, tout le monde
veut tout emporter, de la cave au grenier !
Grâce à des formules magiques,
les enfants, Merlin et Mélusine, font entrer
des choses incroyables dans leurs valises.
« Abracadabra, ma chambre vient avec moi ! »
Et la chambre de Mélusine entre tout entière
dans la petite valise…
« Obrocodobro, moi, j'emporte le frigo ! »
Après un coup de baguette magique, le réfrigérateur
file tout droit dans la valise de Merlin.
Quel gourmand, celui-là !
Il ne peut pas se passer de ses yaourts au chocolat !

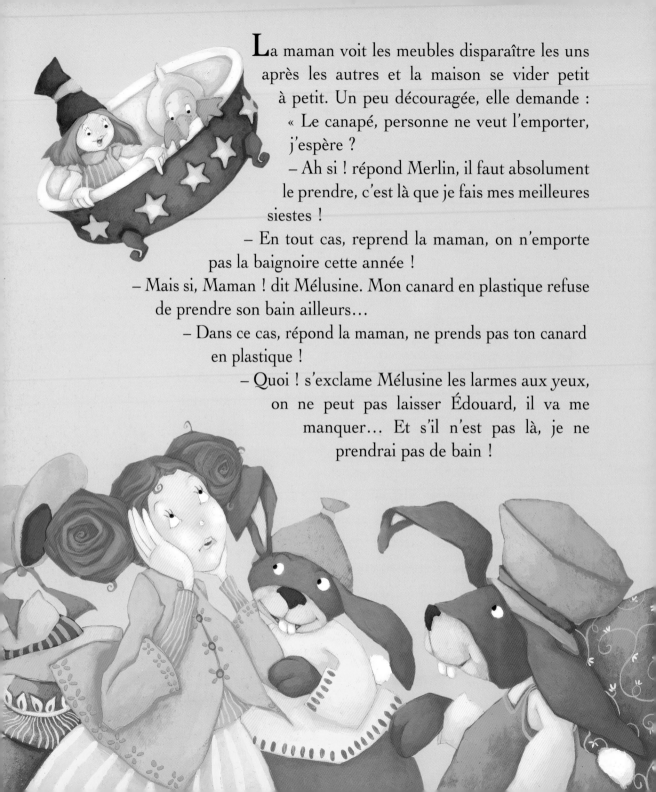

La maman voit les meubles disparaître les uns après les autres et la maison se vider petit à petit. Un peu découragée, elle demande :

« Le canapé, personne ne veut l'emporter, j'espère ?

– Ah si ! répond Merlin, il faut absolument le prendre, c'est là que je fais mes meilleures siestes !

– En tout cas, reprend la maman, on n'emporte pas la baignoire cette année !

– Mais si, Maman ! dit Mélusine. Mon canard en plastique refuse de prendre son bain ailleurs…

– Dans ce cas, répond la maman, ne prends pas ton canard en plastique !

– Quoi ! s'exclame Mélusine les larmes aux yeux, on ne peut pas laisser Édouard, il va me manquer… Et s'il n'est pas là, je ne prendrai pas de bain !

– D'accord, répond la maman, on emporte
la baignoire et Édouard le Canard…
Vous avez gagné ! Vous pouvez vider vos
valises… Nous allons faire comme chaque
année, nous allons prendre la maison en entier ! »
Une fois que tous les meubles ont repris leur
place, la maman prononce sa formule magique :
« Petite maison, décolle et voyage par les airs.
Tu atterriras à Jolieville-sur-Mer ! »
Un coup de baguette magique et la maison disparaît.
Toute la famille se retrouve au milieu du jardin vide.

« À notre tour, maintenant ! » dit la maman.
Mais la baguette magique fait un drôle de bruit et on a beau
l'agiter, rien ne se passe.
« Oh non ! s'exclame la maman. La baguette ne marche plus,
et toutes les autres sont dans la maison…
Comment allons-nous faire pour partir en vacances ? »

Alors, pour la toute première fois de leur vie, les magiciens partent en vacances en train…

Les enfants sont très excités : « C'est rigolo de faire comme tout le monde. Tchou ! Tchou ! Vive le train ! On se fait même des copains. »

Lorsque la famille arrive à Jolieville-sur-Mer, elle retrouve sa maison qui l'attend sagement. Mais les enfants veulent faire comme leurs nouveaux copains : ils décident d'aller dormir sous une tente au camping…

Ils ne pensent plus du tout au frigo, à la baignoire, ni même à Édouard le Canard.

C'est ça, les vraies vacances :
il ne faut pas que ce soit
comme à la maison !

Une taupe
un peu casse-cou

Madame Taupe vit heureuse dans son trou,
entre ses lunettes et ses lorgnettes !
Mais depuis les premiers jours du printemps,
elle a les gambettes qui la chatouillent !
Elle ne tient plus en place et se cogne partout
dans son petit trou de rien du tout !
Alors, c'est décidé !
Cet été, elle partira en vacances !
Elle n'est pas bien casse-cou, mais après tout...
Elle prépare un léger baluchon,
enfile une casquette,
chausse ses plus belles lunettes
et pointe le nez dehors, direction l'avion !
En voyage, elle reste sage.
Par les hublots, elle ne voit ni les nuages ni le paysage...

Car elle rencontre un monsieur Taupe très comme il faut,
qui lui chante des airs d'opéra et lui fait goûter son Cola !
Au restaurant de l'aéroport,
les nouveaux amis partagent un repas d'adieu.
Madame Taupe déchiffre le menu avec attention.
Après bien des hésitations,
elle lit avec sa loupe : chou-crou-te gar-nie,
et s'exclame : « C'est très bien pour moi !
– Pour moi aussi ! dit monsieur Taupe.
    Serveur ! Choucroute garnie pour tout le monde ! »
        Au dessert, ils se disent adieu,
            se regardent les yeux dans les yeux,
                des larmes plein les lunettes...

Dans sa jolie vallée
des Alpes, madame Taupe
habite un charmant chalet
de bois, avec piscine et tennis,
s'il vous plaît !
Elle aime faire de la randonnée
et grimper sur les sommets.

Aujourd'hui, c'est le jour de la pêche à la truite.
Dans un torrent rapide, soudain, ça mord !
Au bout du fil, un poisson énorme fait des bonds.
Madame Taupe le tire de toutes ses forces,
mais elle est emportée
par le poids de sa prise et…
Plouf ! Galipette dans le torrent !

Et quand madame Taupe reprend ses esprits,
elle a perdu ses lunettes !
Elle les cherche longtemps, mais en vain !
Tant pis pour la pêche, se dit-elle. Je vais essayer l'escalade…

Sans lunettes, c'est une douce folie assurément !
Madame Taupe n'y voit goutte ! Ni les gros, ni les petits rochers !
Soudain, son pied dérape, elle perd l'équilibre et tombe dans le vide.
Ouf ! Elle est retenue par un fil…
Suspendue dans les airs, elle regarde tout en bas de la vallée,
et comme par miracle, elle distingue,
devinez qui ?

Monsieur Taupe qui brandit ses lunettes et qui crie :
« J'arrive, ma jolie ! J'ai retrouvé vos lunettes dans le torrent ! »

Après l'escalade, madame Taupe va faire du deltaplane.
Au sommet de la colline, elle court et s'élance. Son cœur balance.
Elle vole ! Mais soudain, boum, patatras, catastrophe,
elle plonge dans le lac et comme elle ne sait pas bien nager,
    elle se met à hurler : « Au secours ! »

Devinez qui se trouve dans une barque
juste à ce moment-là...
Monsieur Taupe !
  Évidemment !

Ho ! Hisse ! Il tire madame Taupe dans la barque.
Toute tremblante, elle cache sa tête
dans le pull de son ami...
C'est doux, comme un câlin !

Cette fois-ci, les deux amis décident
de ne plus jamais se quitter.
Au retour des vacances,
ils organisent leurs noces.
Ils se marient et vivent très heureux dans leur trou,
entre leurs lunettes et leurs lorgnettes.
Assurément, les plus belles aventures
arrivent aux taupes courageuses,
qui osent sortir de chez elles !

Tournoi de beach-volley chez les otaries

Cette année-là, les otaries invitèrent toutes les autres espèces de phoques à leur grand tournoi annuel de beach-volley.

Par équipe de trois, il faut renvoyer le ballon de l'autre côté du filet, dans le carré de terrain de l'adversaire, et cela, sans qu'il puisse l'attraper.

Et on verrait bien qui aurait la nageoire la plus ferme, la queue la plus habile…

Il faut dire que les otaries, l'année de cette invitation, étaient très sûres d'elles. L'équipe de la banquise avait travaillé son smash toute la saison avec des boules de neige.

L'équipe du zoo était impeccable en défense à force d'intercepter au vol les poissons qu'on lui lançait. Et les otaries du cirque, grandissimes favorites qui remportaient chaque année le championnat, étaient en pleine forme : dans leurs bikinis roses à paillettes, elles avaient le poil soyeux, la nageoire musclée, le nez vif et habile comme une main.

Bref, il était évident à leurs yeux d'otaries que les autres équipes de phoques allaient essuyer des défaites terribles.

Il est vrai que les veaux marins sont tellement endormis toute la journée qu'ils ne semblent guère capables, malgré leur bonne volonté, de rattraper quelque ballon que ce soit. C'est pourquoi ils ne vinrent qu'en toute petite délégation, incapables de s'enthousiasmer pour un jeu bien trop tonique pour eux.

Tout autre fut la réaction des éléphants de mer : ils étaient très motivés.

Ces grands tout mous ne pouvaient guère espérer briller par leur détente, leurs sauts ou leurs plongeons. Pour bouger l'énorme tas de graisse de leur corps, c'était toute une histoire…

Mais ils avaient un plan simple : si trois éléphants s'étendaient de tout leur long sur un carré de terrain, ils prendraient tellement de place que cela deviendrait très difficile, pour l'équipe d'en face, de trouver un endroit où viser le sable. Il leur suffisait d'espérer que le ballon rebondisse sur leurs gros ventres caoutchouteux, et retourne de l'autre côté… Cela pouvait marcher.

Les lions de mer, quant à eux, avaient envoyé une brigade décidée. Ceux-là, plus grands que les otaries, mais moins que les éléphants, ne craignaient rien ; ils étaient courageux et aimaient affronter l'adversaire. Mais ils étaient parfois beaucoup plus idiots et agressifs que les autres phoques. Si bien qu'il fallait des arbitres rigoureux et sévères, si l'on voulait éviter qu'ils ne mordent l'équipe d'en face entre deux points !

On en était à discuter des règles et à essayer de savoir s'il était juste ou non que ce soient les manchots royaux qui arbitrent, quand le tournoi parut prendre fin prématurément.

On entendit un grand « PAF » suivi d'un « PIFfffff »...

Et deux membres de l'équipe des morses se mirent à rougir, tête baissée. Chacun d'entre eux avait un ballon crevé planté au bout de leurs longues dents !

Paf

piffff

Comme on n'avait plus rien pour jouer, on attrapa deux poissons-lunes et on leur souffla dans les branchies : ils devinrent tout ronds, comme des ballons ! Par égard pour eux, et de peur qu'ils n'explosent, le smash fut interdit, et les morses également.

Les otaries du cirque surent s'adapter à ces nouveaux ballons : elles remportèrent le tournoi sans aucune contestation possible.

Les morses, furieux d'avoir été exclus, refusèrent d'applaudir au moment de la remise des coupes et trophées.

On attribua la récompense des meilleurs ballons aux deux poissons, et on leur proposa de revenir l'année suivante, tellement leur aide avait été appréciée. Mais inexplicablement, ils déclinèrent l'invitation, abandonnèrent leurs médailles et s'enfuirent à toutes nageoires dès qu'on les remit à l'eau.

Puis chacun repartit en jurant qu'il allait s'entraîner toute l'année. Sauf les veaux marins, qui sont excessivement fainéants !

La colo
des parents

« **B**on voyage, Papa ! Sois bien sage là-bas.
– Ne pleure pas, Maman, tout va bien se passer. Je suis sûr
que tu vas te faire plein de copains et de copines… »
Pour une fois, ce sont les enfants qui envoient leurs parents
en colonie de vacances…
Les parents sont surpris quand ils montent dans le car :
les moniteurs ont tous entre huit et dix ans. Ils ne sont pas très
à l'aise, ils n'ont pas l'habitude d'être surveillés par des enfants…
Pendant le trajet, les parents sont très sages, à tel point
que les enfants-moniteurs s'inquiètent un peu.
Pas de bruit, pas de chahut…
Ça ne ressemble pas à une vraie
colonie de vacances !

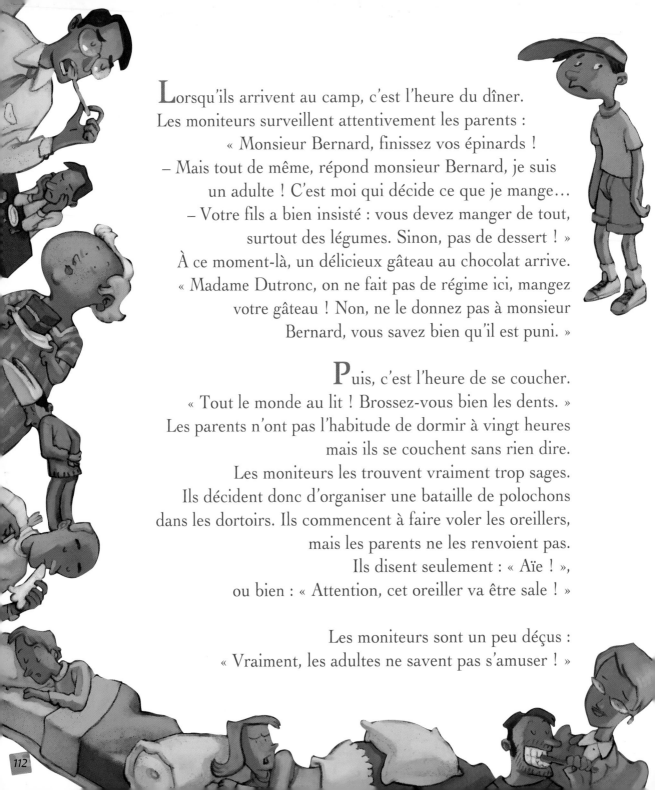

Lorsqu'ils arrivent au camp, c'est l'heure du dîner.
Les moniteurs surveillent attentivement les parents :
« Monsieur Bernard, finissez vos épinards !
– Mais tout de même, répond monsieur Bernard, je suis
un adulte ! C'est moi qui décide ce que je mange…
– Votre fils a bien insisté : vous devez manger de tout,
surtout des légumes. Sinon, pas de dessert ! »
À ce moment-là, un délicieux gâteau au chocolat arrive.
« Madame Dutronc, on ne fait pas de régime ici, mangez
votre gâteau ! Non, ne le donnez pas à monsieur
Bernard, vous savez bien qu'il est puni. »

Puis, c'est l'heure de se coucher.
« Tout le monde au lit ! Brossez-vous bien les dents. »
Les parents n'ont pas l'habitude de dormir à vingt heures
mais ils se couchent sans rien dire.
Les moniteurs les trouvent vraiment trop sages.
Ils décident donc d'organiser une bataille de polochons
dans les dortoirs. Ils commencent à faire voler les oreillers,
mais les parents ne les renvoient pas.
Ils disent seulement : « Aïe ! »,
ou bien : « Attention, cet oreiller va être sale ! »

Les moniteurs sont un peu déçus :
« Vraiment, les adultes ne savent pas s'amuser ! »

Le lendemain, ils sont encore plus découragés :
« On leur donne des ballons, des toboggans, des cabanes,
et eux, ils ne jouent même pas ! Allez, toboggan obligatoire
pour tout le monde !
– Madame Dutronc, voyons, on ne joue pas à chat avec des
chaussures à talons, allez mettre des baskets ! »

Mais peu à peu les parents s'habituent à la vie en colo.
Ils chantent, ils jouent, ils dessinent. On les entend rire de
plus en plus souvent. Finalement, ils s'amusent tellement
qu'ils commencent même à faire des bêtises…
Les parents les moins sages décident d'organiser une grande
bataille d'eau, avec tuyaux d'arrosage et pistolets à eau.
Tout le monde est trempé mais heureux.
Ensuite, c'est une grosse bataille de purée au réfectoire,
il y en a plein les murs. Le soir, ils sautent sur les lits et
refusent de se coucher.

Bref, ils n'arrêtent plus les bêtises.
Les enfants-moniteurs ne savent plus quoi faire :
« Dire qu'on les trouvait trop sages au début…
Heureusement, c'est bientôt la fin de la semaine,
on va enfin les rendre à leurs enfants ! »

Lorsque les parents descendent du car, leurs enfants sont plutôt surpris :

« Alors, Papa, tu t'es bien amusé ? demande un des enfants. Mais qu'est-ce que tu fais… Arrête d'embêter madame Dutronc !

– Maman ! Descends de là ! Arrête d'escalader le car ! »

Finalement, on ne sait plus qui sont les parents et qui sont les enfants. Quel bazar !

Heureusement, au bout de quelques heures, tout rentre enfin dans l'ordre. Les parents, c'est tout de même faits pour être des parents ! Sinon, les enfants ne pourraient plus faire des bêtises…

Le dragon malade

Gontran le dragon en avait
assez de sa retraite forcée dans un
château oublié de tous.

Aucun chevalier ne s'y aventurait plus
depuis des années. Sans doute avaient-
ils oublié qu'une princesse endormie
attendait leur baiser pour se réveiller...

Or, Gontran détestait cette solitude. Il voulait se battre
comme un dragon digne de ce nom. À l'idée de montrer
sa force et de susciter la peur dans le regard de ses ennemis,
il éclatait de rire ! Sa décision fut prise :

« Monsieur le Corbeau, je vous confie les clés du château.
Je pars en vacances vers des contrées moins isolées.
Peut-être au bord de la mer... »

Il voyagea à tire-d'aile pendant une longue nuit.
Au petit matin, apercevant la mer, il se posa sur la plage
et s'endormit épuisé par le long voyage qu'il avait entrepris.
Il fut réveillé par des cris. Il ouvrit un œil, sourit de ses immenses
dents et pensa qu'on l'avait aperçu !
« Ah ! Ah ! Ah ! Ils sont déjà morts de peur ! »

Il n'en était rien. Des enfants jouaient au ballon joyeusement
et les grands ne faisaient même pas attention à lui.
Vexé, il se redressa de toute sa hauteur, gonfla son ventre,
sortit ses griffes, prit une énorme respiration et voulut cracher
de gigantesques flammes. Mais... il ne souffla que de toutes
petites étincelles.
Il voulut rugir et effrayer les enfants mais... un tout petit filet
de voix sortit de sa gueule béante. Quelque chose clochait
qu'il ne s'expliquait pas.
Pis que tout, il fut soudain pris d'éternuements qui
ne s'arrêtaient plus.
« Maman, comme il est drôle ! » dit un enfant.

Gontran en aurait pleuré d'humiliation,
s'il n'avait pas tout d'un coup compris
qu'il était malade.
Alors, dans un geste de colère, il voulut se
saisir du bambin qui s'était moqué de lui,
mais il ne fit qu'un tout petit saut, la tête lui
tourna et Gontran, le terrible dragon, s'évanouit !

Une maman appela un docteur, qui appela un vétérinaire, qui appela la police, qui appela les services secrets, qui appelèrent un grand sorcier et celui-ci donna son avis :

« Il doit retourner dans le monde magique, sinon il mourra ! Pas de vacances pour les dragons ! »

Tout le monde fut rassuré : les enfants qui aimaient les dragons et les grands qui en avaient peur !

On pria le grand sorcier de ramener Gontran chez lui très, très vite et, si possible, avant qu'il se réveille Le sorcier regarda sous les pattes du monstre. Il y reconnut le signe de la terre de Cornélie, un pays de sortilège ancestral. Alors il put dire la bonne formule magique (c'est secret, on ne peut vous la communiquer !)

Et le dragon disparut.

Lorsque celui-ci se réveilla, il était dans son château et se
demanda bien comment il y était revenu, mais il n'eut pas le
temps d'y réfléchir. Le corbeau vint lui annoncer de la visite.
Une troupe de cavaliers arrivait près du pont-levis !
Gontran se dit qu'il avait bien fait d'écourter ses vacances.
Il allait y avoir de la bagarre ! Oui, mais était-il toujours malade ?
Il avala sa salive : ça ne piquait plus.
Il vérifia qu'il crachait du feu : il enflamma le ciel d'un véritable
feu d'artifice.
Il put alors crier :
« Les vacances sont finies ! À l'attaque ! »

Le pays des bonbons

Chaque année,
quand Capucine part en vacances,
la poupée Giboulée
et l'ours Chocolat
restent tristement dans la chambre
à s'ennuyer jusqu'à la rentrée.

Cet été, ils ont décidé de partir eux aussi.
Sac à dos, lunettes et chapeau de soleil…
Ils sont fin prêts ! Mais chut ! C'est un secret…

Toute la famille est affairée à charger la voiture.
Psstt ! Giboulée et Chocolat en profitent
pour prendre la poudre d'escampette.
Ni vus, ni connus ! Ils courent à la gare des jouets.
Direction : le pays des bonbons !

Dans le train qui roule à vive allure,
ça sent déjà la confiture.

Quand ils arrivent au pays des bonbons,
Chocolat et Giboulée sont émerveillés :
les routes sont en réglisse,
les maisons en pain d'épices,
et les feux rouges en sucettes à la fraise.

Giboulée court faire de la luge
sur des collines pralinées,
saute dans une piscine de lait-framboise
et se cogne dans Chocolat
qui a des moustaches de nougat
jusqu'au bout des oreilles !

Le premier soir, les deux amis
s'endorment heureux dans un palais de fruits confits,
dans des édredons de chamallow !

Les jours passent vite au pays des bonbons.
Giboulée et Chocolat ont rencontré une famille entière
de nounours en caramel mou
avec qui ils font la fête du soir au matin.

Ils organisent même une semaine
de camping à la ferme des crocodiles…
Pétanque berlingot,
cueillette de violettes,
barbecue sucré géant,
et chaque soir, veillée papillotes !

Mais bientôt, il faut rentrer…
Oh ! Giboulée et Chocolat ont raté le dernier train.
Giboulée trouve que c'est très bien,
mais Chocolat se fait du souci.
Capucine va bientôt rentrer,
et c'est certain,
elle va s'inquiéter !

Alors, ils vont voir la fée du pays des bonbons.
Dans sa robe de friandises multicolores,
elle ressemble à la princesse des tartines.
« Croqui, croqua ! »
Elle leur dit de croquer une dragée magique...
Et les deux amis se retrouvent dans la chambre de Capucine,
sagement installés sur le lit,
comme si rien ne s'était passé...

Ce matin, c'est la rentrée !
Quand Capucine part à l'école,
Giboulée et Chocolat ronflent dans son sac à dos,
des souvenirs de bonbons plein la tête !
Voyons, ce n'est pas sérieux de dormir à l'école !

Les aventures d'Edwige et Aglaé en Amazonie

Depuis qu'elle était un poussin, la poule Edwige rêvait de partir en Amazonie… Elle avait vu des cartes postales de fleurs géantes, de papillons carnivores et de couchers de soleil. Et elle voulait faire ce voyage.

Les coquelets lui disaient : « Tu es folle, la jungle est pleine de dangers. »

Les cochons ajoutaient : « Toi, en Amazonie ? Mais tu te ferais dévorer. »

Et les pintades haussaient les ailes : « Tu ne connais que ta basse-cour ! »

Mais Edwige continuait de répéter : « Cot-cot, je veux aller explorer ! »

Aussi, le jour de son anniversaire, toute la basse-cour lui offrit un billet d'avion. Mais comme c'était une poule un peu maboule, le dindon demanda à la poule Aglaé de l'accompagner, pour la protéger.

Aussitôt arrivés, les deux oiseaux achetèrent des coupe-coupe, des filets à papillons, des chapeaux et des bottes d'exploratrices… Et elles partirent dans la forêt profonde. Après quelques heures à sautiller, elles arrivèrent au milieu de la jungle. Enchantée, Edwige regardait de-ci, de-là…

Tout d'un coup, elle s'écria :

« Cot-cot-cot. Il y a des poules ici ! Regarde, c'est un œuf ! »

Elle montrait un très bel œuf, de couleur jaune, posé dans les buissons.
Mais pendant qu'Edwige l'admirait, le sang d'Aglaé se glaça : au-dessus
de la poule maboule, un gigantesque serpent anaconda ouvrait grande
la bouche. Il s'apprêtait à avaler cette volaille, qui s'intéressait
un peu trop à son futur petit. Vite, vite, Aglaé réussit
à faire un triple nœud avec le cou du serpent,
si bien qu'il mit une journée à se dénouer
et qu'elles eurent le temps de filer.

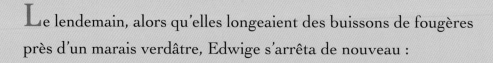

Le lendemain, alors qu'elles longeaient des buissons de fougères près d'un marais verdâtre, Edwige s'arrêta de nouveau :

« Cot-cot, mais il y a des poules partout dans cet endroit…
Regarde, encore des œufs ! »

Et cette fois, elle prit dans ses ailes les jolis œufs roses, en cherchant de tous côtés où se trouvaient les pondeuses.
Heureusement, Aglaé avait vu la maman caïman : au moment où l'énorme crocodile s'apprêtait à croquer Edwige à belles dents blanches, Aglaé lui mit un bâton dans la gueule.

Ouf ! Elles eurent de nouveau le temps de s'enfuir !

Le surlendemain, Aglaé vit Edwige se pencher sous les feuilles d'un palmier. « Ça alors, dit l'étourdie en sortant une loupe, je n'ai jamais vu des œufs si petits… Cot-cot… Les poules qui les couvent doivent être minuscules ! » Aglaé ouvrit de grands yeux, elle aussi… Mais c'était parce qu'une gigantesque araignée poilue descendait de sa toile pour protéger ses bébés. La poule maboule allait se faire dévorer !

Heureusement, Aglaé réussit à l'assommer d'un grand coup de bottes et les deux poules eurent le temps de détaler.

Deux semaines plus tard, les poules rentrèrent à la basse-cour.

Edwige était ravie, elle dit à tous ses amis : « Vous vous trompiez, il n'y a pas de

dangers dans la forêt ! La preuve, c'est que les poules y pondent partout !

Des œufs jaunes !   Des œufs aussi minuscules que des pois ! »

Des œufs roses !

Se grattant la tête, la poule maboule se tourna vers Aglaé :

« Cot-cot… Mais c'est quand même bizarre

qu'elles ne soient pas venues nous saluer.

Il faudra y retourner, une autre année, pour les rencontrer. »

À ces mots, Aglaé tomba à la renverse, évanouie.

Un chat
à la mer !

Un jour, le chat Roméo prit une grande décision. Comme ses maîtres oubliaient chaque année de l'emmener en vacances, et bien, cette fois, il allait les accompagner. Quand l'heure du départ fut venue, il se glissa dans une malle. Après un long voyage, il entendit du bruit, des cris, une drôle de sirène… On jeta la malle dans un endroit sombre. Il attendit encore un peu, puis il sortit prudemment, à pas de loup.

Les deux premiers jours, Roméo
ne vit pas ses maîtres et ne reconnut pas
l'endroit où il se trouvait – mais c'était sûrement
le paradis. Dans cette grande cave, il y avait plein
de souris qui couraient en tous sens.
Et les poubelles débordaient de queues et de têtes de poissons…
Le troisième soir, il décida quand même de glisser une moustache
dehors, pour en savoir plus sur son nouveau domaine.
Il monta un escalier étroit, passa le museau par une porte.

« Miaaaaw »

il poussa un miaulement d'horreur. Partout, autour de lui, il ne voyait que
la mer immense, infinie, scintillante sous la lune. Un bateau ! Il était sur un
paquebot ! Ses maîtres faisaient une croisière ! C'était horrible, il n'avait
jamais vu autant d'eau. Rien que d'y penser, ses poils se hérissaient…

C'est à ce moment-là, qu'il entendit un drôle de bruit, qui venait de la surface de la mer.

« Plouf, plouf », une toute jeune otarie s'amusait à sauter dans les vagues, autour du bateau. Roméo n'en croyait pas ses yeux : jamais il n'avait vu un animal si joli, avec ses beaux poils luisants, ses longs cils, ses fines moustaches délicates et ses petites oreilles ourlées…

« Miaou… » Roméo appela timidement, sans oser s'approcher du bord.
« Miaou… » La petite otarie l'entendit, leva son museau.
Elle n'en crut pas ses yeux : jamais elle n'avait vu des yeux aussi verts, un corps si souple, des oreilles si pointues…

Alors, une étrange conversation commença. L'otarie, qui s'appelait
Juliette, aboyait tendrement :

« Viens ! Descends ! Viens nager avec moi, mon Roméo ! »

Et le chat miaulait avec romantisme :

« Mais je ne peux pas, ma Juliette… C'est beaucoup trop humide,
et dans l'eau, minet râle ! Je ne suis pas un chat-thon, je coulerais à pic… »

Finalement, un vieux cachalot qui passait par là entendit les amoureux.
Ému, il se souvint de l'époque où il avait rencontré sa première baleine.
Il s'approcha, et proposa au chat :

« Veux-tu que je te prenne sur mon dos ? Je t'emmènerai sur une île déserte,
où vous pourrez abriter votre amour… » Roméo promit de faire pattes
de velours et, sans trop réfléchir aux millions de baignoires qu'il faudrait
pour vider cette mer pleine d'eau, il sauta sur le cétacé.

Pendant toute la traversée, les yeux fermés, il entendit les vagues frôler le dos du cachalot. Finalement, quand ils arrivèrent à vingt mètres de la plage d'un minuscule îlot, le cachalot dit à Roméo :

« Nous y voilà… Si je vais plus près, je m'échoue… Il faut que tu sautes. » Le chat secoua sa tête : Sauter, jamais ! » Mais il voyait sa Juliette qui bondissait gracieusement autour d'eux, en battant des nageoires. Alors, n'écoutant que son amour, il se lança.

Et il réussit, trempé, crachant, toussant, à rejoindre la plage.

C'est sur cette île qu'ils s'installèrent. Tous les jours, Juliette apporta à son Roméo des poissons ruisselants.

Ils y vécurent heureux très longtemps, se marièrent, et eurent beaucoup de petites chotaries.

Le Mystère
de la Chambre jaune

Le soleil brille et il y a des croissants sur la table du petit déjeuner…
Ce matin, Jeanne s'est réveillée chez ses grands-parents. Mamie
Chicorée, avec son grand chignon en forme d'escargot, tricote en grignotant
quelques biscuits, et Papi Lou-Face enfile ses bottes en souriant pour aller
dans le jardin. Jeanne adore le début des vacances chez papi et mamie.
Elle arrose les jolies fleurs, court derrière les papillons et plonge ses bras
pleins de terre et de confiture dans l'eau fraîche du puits.
Mais après quelques jours, elle s'ennuie. Elle a lu tous les
livres avec des images. Elle a déjà cueilli toutes
les framboises et taché sa jolie robe
blanche… Elle a même caché la pipe de Papi
Lou-Face dans une cage à lapin. Jeanne
cherche une nouvelle idée quand Papi
Lou-Face entre dans la pièce :
– Si tu t'ennuies, tu devrais aller voir dans
l'ancienne chambre de ta maman,
la chambre jaune, au dernier étage.

Mais j'y suis déjà allée ! Il n'y a rien là-haut,
répond Jeanne, boudeuse.

– Tu n'as pas patienté assez longtemps. Ferme bien
la porte, trouve la petite chaise à moustaches
et ouvre bien grands tes yeux… dit papi en
s'éloignant pour chercher sa pipe.

Curieuse, Jeanne se faufile au bout du couloir
jusqu'à la chambre jaune. Elle entre avec précaution,
referme la porte et attend. Mais rien ne se passe.
On dirait que Papi Lou-Face lui a encore fait une
farce… Soudain, coincée près d'une commode, elle
aperçoit une toute petite chaise à moustaches. Elle la
déplace au centre de la pièce et s'assied dessus.
Quelques minutes de silence passent. Est-ce qu'elle
rêve ? Du coin de l'œil, Jeanne a l'impression de voir
les motifs du papier peint bouger !

Les personnages se déplacent un tout petit peu, timidement. Ils s'arrêtent, la regardent. Et rassurés, ils s'animent sans plus faire attention à elle. Une petite fille blonde, avec une robe bleue, regarde tout autour d'elle d'un air étonné. Derrière elle, un lapin court partout en tenant une montre de gousset. Plus loin sur le mur, une grosse chenille bleue fume un calumet en recrachant des lettres de couleur. Jeanne n'a jamais rien vu d'aussi magique… Pendant qu'elle regarde ce drôle de lapin pressé, la petite fille blonde tombe dans un grand trou à côté du lit et reparaît sur le mur d'à-côté. Elle boit le contenu d'une petite fiole et commence à rétrécir. Puis elle mange un morceau de gâteau **et se met à grandir encore et encore…**

Elle se met alors à pleurer. Jeanne lui tend
la main pour la consoler, mais elle doit faire
un grand bond en arrière : juste au-dessus d'elle, une
méchante reine la menace… Jeanne aide la petite fille à se
cacher derrière un groupe de jardiniers en forme de cartes
à jouer. Décidément, elle ne s'est jamais autant amusée.
Mais… Ding dong ! C'est la cloche de l'entrée : les parents de Jeanne
sont arrivés. Avant de quitter la chambre, elle envoie un baiser d'adieu
à la petite fille du papier peint. Puis elle dévale les escaliers avant de
grimper dans la voiture. Sa maman se retourne :
– Jeanne, pendant que tu n'étais pas là,
on a changé le papier peint de ta chambre.
Le nouveau ressemble un peu à celui de
ma chambre jaune, chez papi et mamie.
Je pense que ça te plaira… dit-elle avec
un clin d'œil rieur, alors que la voiture
démarre en trombe.

En ville, les pieds dans l'eau

Cette année, la petite Zoé est très triste : elle est tombée malade juste la veille des vacances et doit rester chez elle.

Comme elle s'ennuie depuis le matin dans son grand lit, elle décide d'aller sur le balcon et regarde avec mélancolie dans la rue. « Comme j'aimerais être à la plage », soupire-t-elle. Mais au lieu d'une plage paradisiaque, de sable blanc et fin, d'une mer et d'un ciel d'un bleu éclatant, de palmiers et de mouettes et de coquillages, elle ne voit que sa rue, les voitures garées les unes derrière les autres, la façade de l'immeuble d'en face avec Madame Dupont qui épie comme d'habitude les passants derrière ses carreaux, les pigeons, les chiens qui laissent leurs crottes sur le trottoir.

Elle soupire encore :

« Ah oui, comme j'aimerais être à la plage.

– Comme je te comprends ! lui dit une petite voix nasillarde.

– Qui est là ? demande Zoé en regardant autour d'elle.

– C'est moi, répond la voix, Albert le lierre ! Je suis sous ton nez ! »

Zoé fixe, stupéfaite, le lierre en pot sur le bord du balcon.

Elle se demande si ce n'est pas la fièvre qui lui donne

des hallucinations.

« Eh oui, c'est moi ! Comme je te vois si triste,

j'ai envie de t'aider. Je connais bien tout le monde,

alors je vais aller retrouver

tous les copains et on va voir

si on ne peut pas te l'apporter

à domicile, ta plage ! Qu'en

dis-tu ?

– Oh oui, Monsieur le lierre,

dit Zoé tout émue,

ça me ferait drôlement

plaisir !

– Alors, attends-moi ici ! »

répond le lierre,

en descendant le long

de la gouttière.

Et Albert va faire le tour de ses connaissances. Il pose chaque fois la même question : « Dis donc, ça te dirait de faire plaisir à une petite fille qui ne peut pas partir en vacances ? » Il commence par aller voir Aimable le tas de sable, Arthur le pot de peinture et son compère Julot le pinceau du chantier de la rue Papillon.

« T'as quoi comme couleur cette semaine, Arthur ? demande-t-il au pot de peinture.

– Du bleu, mon vieux, t'as de la veine, répond ce dernier.

– Parfait ! dit le lierre en se frottant les feuilles de satisfaction.

– Allons voir les autres ! »

C'est ainsi qu'ils font le tour du pâté de maisons, rejoints au fur et à mesure par Robert le lampadaire, Félicie la bouche d'incendie et bien d'autres, Léon le guéridon, Thérèse la chaise et Jean-Paul le parasol, tous trois venant de la brasserie de l'angle...

Ils s'affairent pendant quelque temps
puis, quand tout le monde est
en place, Albert le lierre appelle Zoé.
Ce qu'elle voit dans la rue la met en joie :
le tas de sable a recouvert trottoirs
et voitures, la bouche d'incendie a rempli
la chaussée d'eau, le guéridon, la chaise
et le parasol l'attendent sur le sable
devant la porte, l'immeuble d'en face
est repeint en bleu ciel, les pigeons volent
en cercles en imitant le cri des mouettes,

tout le monde est venu pour
transformer la rue devenue
la plus belle des plages.

Clara et la magie de la fée Claudine

Il était une fois, dans un petit royaume d'Italie, un roi et une reine qui étaient tous les deux myopes comme des taupes. **Leurs lunettes, d'une épaisseur extraordinaire,** leur faisaient des yeux aussi minuscules que deux petits pois.

Quand ils oubliaient de les mettre, cela pouvait être très embarrassant...

Un matin, le roi avait prononcé un discours devant un troupeau de moutons !

Il les avait confondus avec ses ministres. Un soir, la reine était sortie avec un abat-jour sur la tête ! Elle croyait porter sa couronne.

Cependant, ils étaient d'un naturel si heureux qu'ils riaient de bon cœur de ces petites mésaventures, et toute la cour aimait se joindre à eux… Jusqu'au jour où la reine attendit leur premier enfant. Dès lors, elle s'inquiéta :

« Comment fera le prince pour rencontrer une jolie princesse si de grosses lunettes cachent son beau visage ?

Et si à l'école les enfants l'appellent prince Binoclard ? »

Il était hors de question que le prince porte des lunettes ! La reine en avait décidé ainsi et personne ne pourrait la faire changer d'avis.

Pour que son fils hérite d'une vue aussi perçante que celle d'un lynx, elle ne vit qu'une solution : la magie !

Le jour de la naissance du prince, la reine et le roi invitèrent au château la fée Claudine, une fée française qui s'était installée dans le royaume pour profiter de la douceur du climat italien. Tous les trois se penchèrent sur le berceau du bébé et la reine, très fière, dit à la fée :

« Je vous présente le prince Massimo !

– Mais c'est une princesse ! s'exclama la fée. Vos yeux vous ont encore joué des tours !

– Une princesse ?

répéta le roi, étonné.

C'est fantastique !

Mais comment va-t-on l'appeler ?

– Si vous voulez que votre fille voie clair, il faut l'appeler Claire, répondit la fée.

– Ce n'est pas très italien. Et si nous l'appelions *Clara* ?

– Le prénom Clara possède aussi le don de clairvoyance. Que votre souhait se réalise à l'instant ! »

Sur ces mots, la fée Claudine agita doucement sa baguette et une pluie d'étoiles scintillantes virevolta autour du bébé.

Quelques mois plus tard, la princesse fit ses premiers pas. Hélas, ses parents durent se rendre à l'évidence : la magie de la fée Claudine n'avait pas opéré. Clara se cognait dans tous les murs du château et confondait le majordome avec son royal papa.

Cependant, c'était une merveilleuse petite princesse, et la reine oublia vite ses inquiétudes.

Elle fit faire à sa fille une magnifique petite paire de lunettes roses, sertie de diamants, et Clara les adopta aussitôt.

Les années passèrent. Clara grandissait, non sans quelques bleus.

Son huitième anniversaire arriva. La veille, dans le plus grand secret, cuisiniers, clowns, musiciens et magiciens organisèrent, sur ordre du roi, une immense fête pour la petite fille. Pour ne rien révéler de la surprise, ils avaient attendu que la princesse soit couchée, mais Clara, surexcitée, ne parvenait pas à s'endormir. Elle savait que chaque année ses parents lui offraient un anniversaire fabuleux, qui débutait dès qu'elle ouvrait un œil et se finissait tard dans la nuit.

Elle se tournait et se retournait dans son lit en pensant aux pâtisseries et aux friandises qu'elle allait bientôt manger, mais surtout…

à son cadeau d'anniversaire,

qu'elle attendait avec impatience.

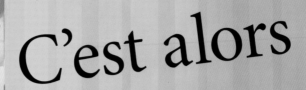

C'est alors

qu'elle entendit deux servantes

qui discutaient devant la porte

de sa chambre.

« *Clara* ! Quel étrange prénom
pour une petite fille qui ne voit pas plus loin
que le bout de son nez !

– Souviens-toi ! La reine ne voulait surtout pas avoir
un enfant aussi myope qu'elle.
La fée Claudine lui a donc donné ce prénom, mais
sa magie n'a eu aucun effet sur la vue de Clara ! »

La princesse n'en croyait pas ses oreilles. C'était donc pour cela qu'elle s'appelait Clara ? Ses parents ne voulaient pas d'une petite fille qui porte des lunettes ? Son cœur battait à tout rompre et de grosses larmes coulaient le long de ses joues.

Alors, sans même prendre le temps de chausser ses lunettes, elle se précipita vers l'escalier de service et s'enfuit du château.

Clara voulait fuir le plus loin possible, disparaître au bout du monde.
Elle courut sans un regard en arrière mais, sans ses lunettes, elle ne vit pas
non plus où elle allait. Elle s'enfonça au cœur de la forêt.

« Peu importe que je me perde, se disait-elle, ce sera bien
fait pour tout le monde ! »

Mais bientôt, épuisée, elle s'arrêta. Ses jambes ne pouvaient plus la porter.

Elle s'assit contre un arbre pour reprendre son souffle,
ses yeux se fermèrent et elle s'endormit.

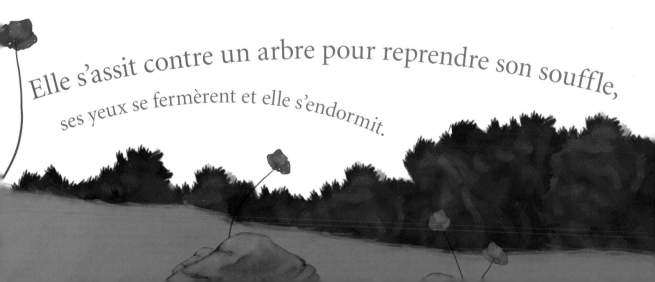

Au lever du jour, une sorcière se promenait gaiement dans la forêt. Du bout de sa canne, elle farfouillait dans les branchages pour récolter les grosses araignées du matin. Soudain, une petite voix la fit sursauter.

« Bonjour, madame ! » dit Clara. La sorcière s'étonna. C'était la première fois qu'un enfant s'adressait à elle. Et sans frayeur en plus !

Elle regarda ses affreux ongles noirs, elle toucha son nez crochu et sa grosse verrue pleine de poils et s'étonna encore :
« Je ne me suis pourtant pas transformée en princesse cette nuit, je suis toujours aussi laide. Soit cette petite est idiote, soit elle a besoin d'une bonne paire de lunettes ! » Bah ! Après tout la sorcière s'en fichait, elle n'était pas opticienne.
Elle se frotta les mains et pensa que c'était son jour de chance :

elle allait enfin pouvoir déguster

la chair tendre et fraîche d'une petite fille !

Elle prit sa voix la plus douce :

« Voudrais-tu venir prendre un thé chez moi pour le petit déjeuner ? » susurra-t-elle à Clara en pensant à sa marmite remplie de venin de vipères et d'araignées, et de champignons vénéneux.

Clara hésita avant d'accepter la proposition de la sorcière. Un sentiment étrange la poussait à se méfier de cette drôle de bonne femme. Mais sa maman lui avait appris à être toujours polie et, de toute façon, Clara ne sautait jamais le petit déjeuner. Alors, elle suivit la sorcière jusque chez elle.

« Installe-toi confortablement, je vais chercher des biscuits »,

dit la sorcière en ouvrant la porte de sa maison.

Elle appuya sa canne contre la table et elle se hissa sur la pointe des pieds pour attraper une boîte posée sur une étagère. Pendant que la sorcière avait le dos tourné, Clara se saisit de la canne.

« Elle est belle, on dirait qu'elle est magique… »

Comme frappée par la foudre, la sorcière fit volte-face et se précipita sur Clara en rugissant : « Rends-moi ça, espèce de petite sotte, ou je te dévore toute crue ! » Mais Clara s'était déjà réfugiée à l'autre bout de la pièce :

« Ah ! Je me disais bien que vous n'étiez pas si gentille !

« – Rends-moi cette canne ! »
La sorcière hurlait et vociférait en poursuivant Clara
qui ne cessait de lui échapper.
La petite princesse, qui riait de voir la sorcière
courir aussi vite qu'un escargot, faisait le
tour de la maison en fredonnant :

« Une sorcière sans magie,
c'est comme un
ou un dragon riquiqui, ça ne peut pas

Clara pointa la canne en direction de la sorcière et continua de chanter :
« La magie sert à transformer une méchante sorcière en gentille grand-mère ! »
À ces mots, la sorcière se tortilla dans tous les sens, elle fit une grimace
terrible, elle tira la langue, et un énorme serpent sortit de sa bouche. Puis
elle reprit une figure normale, elle sourit à Clara et lui demanda d'un air
charmant :

« Bonjour, petite fille ! Que fais-tu là, es-tu perdue ?

– Oui, madame, répondit Clara, ravie de la métamorphose de la sorcière.

– Il faut prévenir tes parents qui vont s'inquiéter. Où habites-tu ?

– Je ne veux pas rentrer chez moi. Je dois d'abord retrouver la fée Claudine,
c'est à cause d'elle que je suis partie. Savez-vous où elle habite ?

– La fée Claudine vit de l'autre côté de la forêt, au bord de la mer. »

ogre sans bouche faire de mal à une mouche ! »

Clara quitta la sorcière et repartit à la recherche de la fée Claudine. Elle choisit une direction au hasard et marcha longtemps. « Quelle drôle de rencontre ! » pensait-elle en songeant à la sorcière.

Mais Clara n'était pas au bout de ses surprises. Un grand loup noir la suivait à pas de loup depuis quelque temps. Il sortit des fourrés et s'élança vers elle en ouvrant grande la gueule pour ne faire qu'une bouchée de la petite fille.

« Oh, un chien ! » dit Clara qui n'y voyait goutte.

Le loup s'arrêta, si étonné qu'il en oublia de la dévorer.

« Un chien ? Je ne suis pas un chien, grogna-t-il vexé. Je suis un grand loup noir des forêts, féroce et affamé. Il te faudrait des lunettes, ma petite !

– Oui, ça, je le sais ! répondit Clara. Mais toi, je suis persuadée que tu es un gentil chien, dit-elle en caressant le museau du loup. Tu dois connaître le chemin qui mène à la mer, non ? »

Le loup fut encore plus étonné. C'était la première fois de sa vie que quelqu'un lui donnait une caresse.

Décidément,

cette petite fille commençait à lui plaire…

163

Clara et le loup marchèrent longtemps. Enfin, Clara entendit les vagues, le cri des mouettes et elle respira le parfum salé des embruns. La mer était proche. Son voyage touchait à sa fin.

Mais soudain,
le loup sentit une présence.
Il s'arrêta et se mit à grogner.

Un homme s'avançait vers eux.

C'était un bandit de grand chemin qui rôdait dans la forêt et guettait les voyageurs ou les promeneurs égarés.

Malheur à ceux qui le croisaient car le brigand, sans pitié, leur volait leur argent, leurs bijoux et leurs bagages.

Il reconnut Clara immédiatement et il se frotta les mains de joie.

Des avis de recherche avaient été affichés dans tout le royaume sur ordre du roi et de la reine qui promettaient une grosse récompense à celui qui trouverait la princesse.

Le bandit serait bientôt un homme riche !

Mais en voyant le loup, le bandit eut peur de se faire croquer une jambe.

Alors, il essaya d'être rusé et il prit

sa voix la plus douce.

« Bonjour, petite fille, es-tu perdue ?

– Non, monsieur, au contraire,
je suis bientôt arrivée.

– Bientôt ? Mais ton château est à cent lieues d'ici ! Viens avec moi,
je te raccompagne.

– Non merci, je dois rendre visite à la fée Claudine. Mais vous,
vous ne devriez pas rester seul. Faites donc le reste du chemin
avec moi. Je vous présenterai à la fée. »

Et Clara continua son chemin, impatiente de rencontrer la fée Claudine. Le voleur, qui ne perdait pas sa récompense de vue, suivit Clara en se tenant à bonne distance du loup.

« Bon, je suis d'accord, mais après, je te ramène au château !

– Oui, oui, répondit Clara, distraite.

Oh, regardez, c'est ici ! »

169

Le temps que le bandit lève la tête pour regarder la grande maison qui dominait la mer, Clara avait déjà couru jusqu'à la porte et disparu à l'intérieur. Il se précipita derrière elle mais, en entrant dans la maison, il tomba nez à nez avec un gros crapaud.

« **Beurk !** s'écria le voleur, dégoûté.

– Chut ! murmura Clara. Ne lui faites pas peur. C'est la fée Claudine, j'en suis sûre !

– Cette bestiole affreuse, une fée ? Ça m'étonnerait !

– Mais si ! Venez ! »

Clara, le bandit et le loup suivirent le crapaud qui s'éloignait en sautillant. Il les conduisit dans une grande salle. Des étagères tapissaient les murs et ployaient sous les livres, les carnets de formules magiques, les recueils de sorts, les atlas et les guides de voyage. Le crapaud bondit vers un gros buffet encombré de fioles, de flacons, de carafes, de bocaux et d'un vieux grimoire. Il sauta sur le meuble et, de la patte, il désigna l'ouvrage.

Côa ! Côa !

« Regardez, il veut nous montrer quelque chose ! »

Clara se saisit du livre. Elle approcha le grimoire tout près de son visage et se mit à lire : « Lorsqu'une fée a le malheur d'avoir été transformée en crapaud, seul un homme en quête d'amour la sauvera s'il lui donne un baiser. »

« Il faut l'embrasser ! s'écria Clara en mettant le crapaud sous le nez du bandit.

– Tu as perdu la tête ? Jamais !

– S'il vous plaît ! Je promets que je ferai ensuite tout ce que vous voudrez !

– Tu rentreras avec moi au château ?

– Promis !

– Bon, dans ce cas… j'accepte. »

Le bandit ferma très fort les yeux, il avança les lèvres… et pLOC !

le crapaud se transforma en une fée superbe ! Le bandit crut qu'il rêvait. Il n'avait jamais vu une femme aussi belle.

« Enfin ! Cela faisait des mois que j'étais enfermée dans cet animal à cause d'une mauvaise formule. Merci, monsieur ! s'écria la fée Claudine, ravie.

– De… de… rien, bredouilla le bandit tout ému.

– Hum… s'impatienta Clara.

– Ah, Clara ! Merci ! Je savais que tu comprendrais tout, même le langage des crapauds ! Je suis fière de t'avoir fait ce don.

– Un don ? Quel don ? Je n'y vois rien et c'est à cause de vous !

– Si, Clara, tu vois, mais avec le cœur. Je t'ai offert la chance de percevoir les gens et les animaux au-delà de leur apparence et de lire dans leur cœur.

Certes, si je t'avais donné une bonne vue, tu n'aurais pas eu besoin de lunettes, mais tu n'aurais pas su me délivrer, et je serais restée encore longtemps un vilain crapaud. »

Clara réfléchit. La sorcière, le loup, le bandit. Elle avait su lire en eux et découvrir qui ils étaient vraiment.

Elle prit alors conscience qu'elle préférait voir avec son cœur. Tant pis, elle garderait ses lunettes sur le nez pour le reste.

La petite princesse se sentit soudain très fatiguée. Elle avait envie de rentrer chez elle, de retrouver ses parents… et son lit douillet. Elle tira le bandit par la manche mais, étonnamment, celui-ci n'avait plus très envie de la suivre. Clara grimpa alors sur le dos du loup qui la ramena au château. Les parents de Clara, fous de joie de retrouver leur fille saine et sauve, offrirent au loup la plus belle des récompenses : une gamelle royale.

Il renonça à dévorer les enfants car les caresses de sa nouvelle maîtresse avaient bien meilleur goût. Quant au bandit, pour plaire à la fée Claudine, il devint un homme charmant et délicat.

Tant et si bien que la jolie fée française tomba amoureuse

de lui et qu'ils se marièrent sans tarder.

Le voyage
dans les nuages

«*É*space de départ n° 1, tous les voyageurs en partance
pour la croisière atmosphérique sont invités à embarquer
sur les prochains nuages », dit la douce voix de l'hôtesse.
Sur la plate-forme, les enfants manifestent leur joie.
C'est leur premier voyage en bateau de poussière d'eau !
« Moi, je veux monter dans le stratus, dit Anaïs.
– Non, dit son frère Louis, le cirrocumulus est plus beau !
– Eh bien moi, dit leur père, je choisirai plutôt le cumu-
lonimbus. Qu'en penses-tu, chérie ? »
Et voilà ! Comme toujours, ce sont les adultes
qui ont choisi...

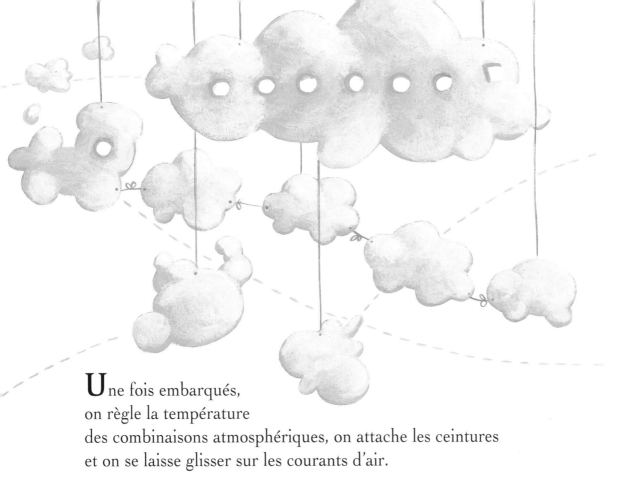

Une fois embarqués,
on règle la température
des combinaisons atmosphériques, on attache les ceintures
et on se laisse glisser sur les courants d'air.

Anaïs et Louis regardent à travers leurs visières les autres véhicules
aériens : un Train de nuages à Grande Vitesse les dépasse et franchit
la barrière du son dans un grand « Bang ».
Sur le courant d'air inférieur, les nuages ultra-légers motorisés ont
des formes bizarres. Ils ressemblent à des bonbons, des crocodiles,
des théières, des papillons... et comme dans du coton, peu à peu,
les jeunes passagers somnolent.
« Réveillez-vous, les petits dormeurs ! Nous allons bientôt franchir
le cap des comètes ! » dit leur père.
Elles passent à toute allure au-dessus de leurs têtes.

Anaïs et Louis voudraient bien en saisir une, comme au manège, mais c'est trop difficile ! Alors ils regardent ce paysage grandiose et ils imaginent que bientôt, quand ils seront grands, ils chevaucheront des étoiles filantes.

Tout à coup, une voix dans le haut-parleur annonce des turbulences : « Le cumulo-nimbus doit passer au-dessus d'immenses déferlantes gazeuses, accrochez-vous ! Ne vous penchez pas sur les côtés ! »
Le nuage accélère l'allure, commence par faire des bonds vertigineux avant de tanguer dans tous les sens.
Heureusement, la tempête interstellaire se calme. Le nuage ralentit sa course folle, puis s'arrête.

« Zut ! s'énerve leur père. Je crois maintenant qu'on est en panne. »
Mais il en est de même pour les autres cumulus, cirrus et altostrat qui s'arrêtent aussi à coté d'eux : faute de vent assez puissant, un énorme embouteillage de nuages se crée au-dessus de l'océan.

Hélas, un air chaud qui montait du rivage rencontre à ce moment le courant d'air froid qui supportait les nuages et il commence à pleuvoir…

Les véhicules fondent alors à vue d'œil et tout le monde est trempé. Les équipes de sécurité spatiale interviennent vite.

D'immenses toboggans circulaires sont arrimés aux nuages en perdition. Chacune à leur tout, les familles glissent vers la terre ferme.

« Maman ! Notre cumulo-nimbus a fondu mais regarde ce magnifique arc-en-ciel ! La prochaine fois, on part en croisière sur un tapis volant !

Qu'en dites-vous, les parents ? »

Les vacances
des Têtenlaire

Dans la famille Têtenlaire, il y a : Gontran, le père, qui ne se souvient jamais où il a garé la voiture ; Chantal, la mère, qui lit les livres à l'envers ; et les enfants, Lili et Pierre, qui entrent chez les voisins en croyant que c'est chez eux. Ah, j'oubliais ! Il y a aussi Boby, le chat, qui parfois aboie par étourderie.

Aujourd'hui, toute la famille part en voyage.

« Zut ! Où ai-je mis les billets de train ? demande Gontran.

– Dans le réfrigérateur !

– On part où, déjà ? demande Pierre.

– Je te l'ai dit cent fois : en Irlande !

– Ah bon, ce n'est pas en Hollande ? s'inquiète Chantal.

– Où ai-je la tête, bien sûr, en Hollande ! C'est au Nord : prenez des pulls ! »

À la gare, c'est la bousculade.

« Montez dans le train, il part ! Pas celui-ci, celui-là ! » Il était temps…

Chacun rêve à la Hollande…

« Ah ! mordre dans un gouda frais !

– Cueillir des bouquets de tulipes !

– Faire de la bicyclette sans devoir monter des côtes !

– Terminus ! Tout le monde descend ! »

Ouh ! Mais c'est qu'il fait chaud en Hollande !

Commençons par trouver l'hôtel…

« L'Hôtel des Saules, vous connaissez ?

– *Del sol ? Si, si, está aquì !** »

C'est vraiment facile de se faire comprendre en Hollande.

* « Del Sol ? Oui, oui, c'est ici ! »

181

À l'hôtel, Gontran se rend compte que tous les bagages sont restés dans le train.

« Ce n'est pas grave : il fait si beau ! Faisons une promenade. »

Dans le guide il est écrit que les champs bordent la ville. Mais, après avoir fait quelques pas, la famille Têtenlaire se retrouve… sur une plage !

Pierre et Lili ramassent quelques coquillages, qu'ils oublient un peu plus loin. Tiens, là-bas, c'est la fête.

Guitares et castagnettes, robes à volants, tango… et du vin qui coule à flots !

Gontran et Chantal demandent une bière, spécialité locale, dit le guide : on les regarde de travers.

Il fait de plus en plus chaud… « Allons sur le marché voir les fromages de Gouda ! »

La rue monte dur. « Je croyais que c'était un pays tout plat », soupire Pierre.

Sur le marché, pas la moindre trace de fromage !

Et quand Chantal demande où sont les tulipes, on lui donne une glace au nougat !

La Hollande est vraiment un curieux pays…

La famille Têtenlaire rentre chez elle (après une petite visite
aux voisins, Pierre et Lili s'étant trompés de porte).

Chacun reprend ses habitudes :
Chantal met le linge sale au four, Gontran tond
la moquette au lieu de la pelouse…
Le soir, au dîner, autour d'un plat de pâtes aux tomates dans lequel
on a oublié les pâtes, on parle des prochaines vacances.

« Et si on allait en Espagne ?
– Ça ressemble à quoi, l'Espagne ?
– Un peu à la Hollande, mais en moins chaud ! »

Dragounet,
le casse-cou de la plage

Maxime et ses parents roulaient tranquillement en direction de la plage quand, soudain, quelque chose tomba avec fracas sur le capot de la voiture ! Ce n'était ni un pot de fleurs, ni une météorite, mais… un bébé dragon ! La maman de Maxime était à peine remise de ses émotions lorsqu'elle sentit son fils se glisser entre les deux fauteuils avant. À travers le pare-brise, on apercevait deux yeux de cocker et un sourire gêné.

– Tu es perdu ? demanda le petit garçon.

Le petit dragon acquiesça, encore étourdi par sa chute.

– Je suivais ma maman vers l'île aux nuages où on a l'habitude de passer nos vacances, mais j'avais la tête en l'air et j'ai tamponné un sens interdit.

– On ne va pas le laisser là ! s'écria Maxime. Il peut venir avec nous ? Allez, dites oui ! Les parents de Maxime hésitèrent, mais le petit dragon avait l'air si gentil qu'ils décidèrent de l'emmener avec eux pour le confier, au retour de la plage, à un refuge pour animaux égarés.

Dragounet se précipita dans la voiture. Coincé entre Maxime, la glacière et le bateau pneumatique, on aurait dit un gros jouet en plastique !

Arrivé à la mer, Maxime se jeta à l'eau. Dragounet, lui, se peinturlura de crème solaire et mit son bob pour se protéger du soleil. Il s'avança timidement vers la mer, trempa un orteil puis recula d'un bond.

– Elle n'est pas si froide ! rigola Maxime.

– Ce n'est pas ça… répondit le dragon. Je ne sais pas nager…

– Si ce n'est que ça, je te prête ma bouée !

Mais Dragounet était si dodu qu'il fallut une heure à Maxime pour lui enfiler la bouée par-dessus son estomac boudiné. Une fois à l'eau, Maxime se transforma en maître-nageur.

– Tends tes bras, plie tes jambes !

Mais au bout d'un moment, la bouée commença à chatouiller Dragounet et il ne put s'empêcher de se gratter.

-PFFFFFFFF !

Ses griffes eurent vite fait de crever la bouée ! Le voilà parti comme une fusée ! SCHBING il rebondit sur un yacht, PAF dans une grande voile, BOUNG dans un pédalo, une vraie boule de flipper ! Heureusement, il avait une bonne carapace et finit sa course sans mal, le nez dans le sable ! Maxime pleurait de rire.

– Et si on essayait le cerf-volant ?

Dragounet attrapa les fils. Tout à coup, le vent se leva et il décolla, traîné par le cerf-volant jusque dans les airs.

– Et si je soufflais dessus pour retourner vers Maxime ? se dit Dragounet.

Mais quand il ouvrit la gueule, il cracha du feu et en une seconde le cerf-volant fut réduit en fumée. Maxime retrouva le dragon échoué en haut du phare.

– Allez, viens, on va essayer le char à voile !

Dragounet s'équipa : il mit un casque, des lunettes, puis Maxime le poussa pour l'aider à démarrer.

Bientôt, il prit de la vitesse et n'arriva plus à contrôler l'engin !

Il slaloma entre les serviettes et les châteaux de sable,

mais ne put éviter la cabane à sandwichs !

CRAAAAAAAC ! Maxime retrouva Dragounet drôlement déguisé :

une barbe à papa en guise de perruque, un cornet de glace entre les orteils

et une crêpe sur la figure !

– Ça t'arrive d'atterrir autrement qu'en catastrophe ? dit-il dans un fou rire.

C'est alors qu'ils entendirent un cri dans le ciel : maman dragon !

Dragounet était très content de la retrouver. Avec Maxime,

ils se donnèrent rendez-vous pour les vacances d'hiver et ils riaient

par avance en pensant aux cascades qui les attendaient.

Un amour de vache à Venise

Depuis quelque temps, Margot, qui est pourtant une vache qui rit, ne rit plus du tout. Son mari, le taureau Manolo, ne sait plus quoi faire pour lui redonner goût à la vie :

« Allez viens, Margot, on va voir passer le train de 11 h 52 !

– J'en ai assez, de voir passer les trains !

– Allez viens, Margot, on va se faire un festin de mâche toute fraîche !

– J'en ai assez de mâcher de la mâche !

– Allez viens, Margot, on va sauter à la perche au-dessus de la barrière électrique !

– J'en ai assez de m'amuser ! »

Manolo commence à en avoir ras les sabots :

« Tu n'as pas fini de râler comme ça, à longueur de journée ! C'est pénible, vraiment ! » Mais Margot s'ennuie et continue de ruminer du noir.

Manolo a une idée :

« Et si on partait en vacances tous les deux en amoureux, ça te ferait plaisir ?

– Je n'ai pas envie de voyager, ailleurs, c'est comme ici !

– Pas du tout ! Tu vas voir, je vais t'organiser un voyage très dépaysant ! »

Et un beau matin, Margot et Manolo grimpent dans un wagon à bestiaux de première classe, direction l'Italie, Venise, la ville des amoureux.

Sur la lagune, Margot n'est pas de meilleure humeur.

« Regarde comme c'est beau, Venise ! s'exclame Manolo.

– Y a trop d'eau, et pas assez de pâturages ! Qu'est-ce qu'on va bien pouvoir manger ?

– Allez viens, arrête de râler, on va faire un tour en gondole ! »

En maugréant, Margot monte dans la gondole. Mais quand Manolo la rejoint, la gondole se met à tanguer dangereusement.

« Bon, les deux grosses vaches, descendez, vous êtes trop lourdes ! » leur crie le gondolier.

Margot retient Manolo pour qu'il ne donne pas un énorme coup de cornes au gondolier !

« Allez viens, mon Manolo, allons manger, ça va te calmer ! »
Au restaurant, le serveur leur apporte deux assiettes en disant : « *Carpaccio per la signora e per il signore.** » Manolo regarde le plat avec suspicion.
« Qu'est-ce que c'est ? On dirait de la viande crue. » Il renifle. Mon Dieu ! Mais oui ! C'est même du bœuf cru ! Manolo voit rouge. Il fonce sur le serveur, cornes en avant :

« Barbare, cannibale, mangeur de vache crue ! »

Margot a toutes les peines du monde à le retenir par la queue :
« Allez viens, ne faisons pas de scandale, partons d'ici ! murmure-t-elle.

Tu sais, moi aussi j'ai une idée. J'ai trouvé ce prospectus tout à l'heure. Ils parlent d'un pays qui s'appelle l'Inde, ils disent que c'est

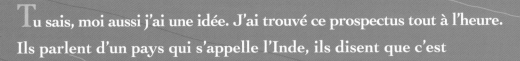

le paradis des vaches.

Là-bas, les vaches sont sacrées, on les respecte, on les bichonne, et elles peuvent faire tout ce qu'elles veulent !

– Alors, allons-y, dit Manolo. Ça nous changera de cette ville de barbares ! Et crois-tu, ma chère Margot, que là-bas l'herbe sera plus verte que dans notre Normandie ? »

Une princesse
au camping

Depuis quelque temps, la princesse de Pestouille est devenue invivable :
elle ne mange que du foie gras sur des toasts tièdes, elle ne boit que du
sirop de grenadine avec six glaçons dedans, elle ne met que des robes roses
et elle en change sept fois par jour ! Le roi commence à en avoir assez
de tous ses caprices.

« Mademoiselle ma fille, vous devenez une pimbêche. J'ai décidé de vous
envoyer passer vos vacances dans un camping, loin du château, et vous
allez apprendre ce qu'est la vraie vie. »

La princesse fait donc préparer ses malles, emportant robes, chapeaux et
bijoux. Une calèche la dépose à l'entrée du camping, où un emplacement
lui a été réservé.

La princesse attend dignement qu'on vienne chercher ses malles. Les gens passent devant elle, en short et en tongs, et la regardent, les yeux écarquillés.

« Tous ces gens en short, que c'est vulgaire. Et ils ne sont même pas convenablement chaussés, quelle indécence !

Holà !

Quelqu'un pour mes bagages ! Prestement ! »

Mais personne ne lui répond. Elle finit par aller à l'accueil :

« Mon père le roi m'a réservé une suite en cet endroit. Pouvez-vous m'y conduire ?

– C'est quoi vot'nom, lui demande-t-on.

– Son altesse la princesse de Pestouille.

– Pestouille, Pestouille, ah oui, emplacement 58. Deuxième allée, troisième à gauche. Bon séjour ! Au fait, un petit conseil : changez-vous, parce que votre déguisement, là, ça va pas être pratique pour monter votre tente ! »

La planète
des vacances

*V*ous rêvez peut-être de voler un jour dans les étoiles, comme Bob
et Bill, les deux spationautes… Ils explorent les planètes, traversent des
queues de comète, ils connaissent par cœur la face cachée de la Lune,
et découvrent sans cesse les secrets des galaxies lointaines.

Chaque semaine, Bob et Bill doivent apprendre à se servir de machines
incroyables, pleines de boutons. Ils doivent aussi s'entraîner à tourner
dans tous les sens, à bord d'une machine qui donne envie de vomir.

Du coup, ils n'ont jamais, jamais une seule minute pour se reposer.

Ils partent, reviennent, s'envolent, atterrissent sur des planètes très
grosses ou petites comme des placards. Sur chaque astéroïde, ils doivent
ramasser des cailloux, poser des thermomètres, mettre dans des petits
flacons de l'eau ou du gaz…

Sur la planète B12, par exemple, il fait tellement froid qu'ils ont dû casser une couche de glace épaisse de un kilomètre pour trouver des rochers. Le lait de la Voie lactée, lui, est si léger qu'il est très difficile à enfermer. Et dans les trous noirs, il y a si peu de lumière qu'ils doivent utiliser tout le temps leurs lampes de poche de l'espace, en faisant bien attention d'emporter des piles de rechange.

Aussi, à la fin de leurs explorations, quand ils reprennent leur fusée, Bob et Bill sont ravis de retrouver leur « bonne vieille Terre ». Ils se disent qu'ils vont aller se promener à la campagne avec un gros chien poilu, ou paresser sur une plage… Mais en fait, ils savent bien qu'ils doivent aussitôt retourner dans leur laboratoire, pour analyser leurs trouvailles.

Un jour, Bob et Bill atterrissent sur une planète si petite, si minuscule, qu'ils n'en ont encore jamais entendu parler. Elle s'appelle D243, et c'est la dernière planète de leur visite. Pressés de rentrer sur Terre, ils installent à toute vitesse leurs trucs et bidules de l'espace, et ils commencent à prendre des notes. Bob annonce : « La température de l'air est de 30°, comme un jour de soleil en plein été. » Bill note : « L'eau est bleue, pure et chaude, comme dans la petite crique d'un lagon. » Bob constate : « Le sable est blanc et tiède, comme sur une plage tranquille, sous les palmiers… » Bob et Bill se regardent à travers les casques de leurs combinaisons. Ils n'ont même pas besoin de se parler… Ils se précipitent vers la fusée. Bill appelle la Terre sur sa radio :

« Allô, Houston, nous avons un problème ! L'un des moteurs est cassé, nous avons besoin de quinze jours pour le réparer. »

Pendant ce temps, Bob a rassemblé les serviettes, le parasol
et les pans-bagnats au thon qu'il a trouvés dans la soute.
Vite, vite, Bob et Bill enfilent leur slip de bain de l'espace
et, en courant, ils vont se baigner…
Au bout de quinze jours de vacances, ils rentrent finalement
sur Terre, pour retrouver les microscopes. Mais chaque année,
ils repartent explorer D243 – c'est leur secret…

Là-bas, ils peuvent passer deux semaines à oublier
les thermomètres, la machine à vomir et
les atterrissages. Ils restent tranquillement
sur la plage, au bord de la mer, à regarder
voler les mouettes extraterrestres roses
à pois verts !

Les premières vacances
de Dzim la fourmi

Dzim la fourmi était comme toutes ses sœurs : une travailleuse. 365 jours par an, elle creusait des galeries souterraines et portait des provisions sur son dos. Un matin, elle croisa une libellule qui tenait à la main une valise.

– Où allez-vous ? lui demanda la fourmi.

– Je pars en vacances ! s'exclama la libellule.

– C'est quoi ça, les vacances ? questionna Dzim.

La libellule manqua de s'étrangler.

– Quoi ? ! Vous ne savez pas ce que c'est ?

– Non.

– Se faire bronzer le nombril ?

– Euh… non.

– Faire des sudoku en mangeant des glaces ?

– Ben… non.

La libellule était médusée.

U n conseil, allez vous détendre les mandibules !

Je vous aurais bien emmenée mais mon vol pour Copacabana est complet ! dit-elle en s'envolant et en dévoilant sous ses ailes une puce, une cigale et une coccinelle… Dzim se dit que ce serait bien de tester cette chose qu'on appelle « vacances ». Elle tressa des branches, découpa un bout de nappe qui traînait sur une aire de pique-nique et lia le tout avec des cordelettes. Sa montgolfière était prête à décoller. Elle eut un peu le vertige mais, très vite, elle s'amusa de voir ses copines rétrécir.

– On dirait de rikiki crottes de microbes ! gloussa-t-elle.

Elle dériva ainsi plusieurs heures. Elle rencontra un flamant rose et s'assura de son chemin.

– Copacabatruc, c'est par là ?

– Oui, c'est une immense plage, vous ne pouvez pas la manquer, les araignées seront là pour vous accueillir.

« Quel blagueur », pensa Dzim.

Une heure plus tard, elle croisa une oie sauvage.

Copacatsouintsouin,
c'est encore loin ?
– Vous y êtes presque, saluez les araignées
pour moi !
La fourmi s'inquiéta.
– Mais… je vais me faire dévorer ! C'est nul, les vacances.
Cependant, Dzim se dit que la libellule était de bon conseil
et elle essaya d'oublier sa peur. La plage en vue, elle fit un
atterrissage digne d'un vrai pilote : au milieu des nuages
de sable soulevés par la petite montgolfière, des araignées toutes
souriantes se précipitèrent à sa rencontre. Au lieu
de la dévorer, elles l'emmenèrent dans leur repaire
où Dzim retrouva avec soulagement la libellule.
– Bienvenue à Copacabana ! dit celle-ci.
– À Détente et spa-Plage, vous allez vous faire
dorloter par nos pattes de fées ! ajouta la chef
araignée. Un massage aux algues relaxantes !
ordonna-t-elle.

Dzim se laissa pétrir par douze pattes en même temps jusqu'à devenir une vraie guimauve. Puis elle prit un bain de soleil en compagnie de la libellule. Les araignées leur apportèrent une énorme gaufre au chocolat, un milk-shake à l'eau de mer et un sandwich à la noix de coco qu'elles dévorèrent avec appétit. Leurs hôtes avaient aussi organisé des activités et bientôt, la puce, la cigale et la coccinelle rejoignirent Dzim et la libellule pour des parties de beach-coquillage et de ski nautique. Même la reine des fourmis n'avait jamais été aussi chouchoutée ! En regagnant sa montgolfière, Dzim savait déjà qu'elle reviendrait l'année prochaine.

– À bientôt, Copacabana !

À son retour, Dzim raconta à la colonie ce qu'aucune fourmi n'avait jamais vécu avant elle : le repos ! À partir de maintenant, ce serait vacances pour tout le monde chaque année ! Lorsque Dzim retourna travailler, il n'était pas difficile de la repérer parmi ses sœurs : elle seule avait… des marques de maillot de bain !

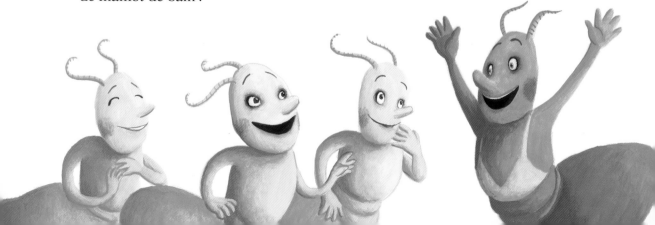

Un drôle
de pilote
dans l'avion

« Les voyageurs en partance pour New York sont priés d'embarquer. »
En entendant cette annonce, William se précipite. Comme
chaque été, il part en Amérique rejoindre ses grands-
parents, et il est aussi excité que si c'était la première
fois ! À l'entrée de l'avion, William jette un œil
vers la cabine de pilotage. La porte est
entrouverte ! Les hôtesses sont très occupées
et elles ne le voient pas se faufiler. Ce que William
préfère, lorsqu'il visite en cachette le royaume du pilote,
c'est le tableau de bord où clignotent mille lumières.
Mais aujourd'hui, tout est éteint. Bizarre !
Il aperçoit alors, sur le siège du pilote, de grandes
plumes brunes…

C'est alors qu'un steward apparaît.

– Qu'est-ce que tu fais ici, petit curieux ? gronde-t-il. Ouste, dehors !

– Dites-moi d'abord d'où viennent ces plumes, demande William.

– Euh… le pilote est un Indien, voilà. Elles sont tombées de ses cheveux.

– Pour de vrai ? dit William en écarquillant les yeux.

– Non, pour de faux. Allons, file rejoindre ta place !

Après le décollage, William est intrigué. Comme un Peau-Rouge
sur le sentier de la guerre, il se glisse vers la cabine interdite.

– Oh !

À la place du pilote se tient un aigle ! Déjà, le copilote bondit pour
chasser le petit garçon.

– Laisse, Jack, dit l'aigle. Je suis sûr que cet enfant ne me dénoncera pas.
N'est-ce pas, petit ? Je suis le seul pilote au monde à ne pas être un homme
et, si tu révèles mon secret, je perdrai aussitôt mon métier…

– Je ne dirai rien, c'est promis, murmure William
dans un souffle.

– Tu veux voyager à côté de moi ?

L'enfant ne se le fait pas dire deux fois !

– Pourquoi le tableau de bord est-il éteint ?
demande-t-il aussitôt.

J'ai une vue perçante et un sixième sens pour repérer tous les dangers. À quoi me serviraient ces voyants ? C'est comme si tu portais des lunettes sans être myope !

– Mais nous avons le soleil en face de nous : vous n'y voyez rien ! proteste William en clignant des yeux.

– Les aigles peuvent fixer le soleil sans être aveuglés, répond fièrement le pilote.

Soudain, les plumes de sa tête se mettent à frémir.

Il se penche vers le copilote :

– Quel temps a annoncé la météo ?

– Beau et calme, répond Jack.

– Erreur ! Je sens qu'un ouragan est en formation devant nous.

Quelques minutes plus tard, le ciel devient noir comme de l'encre. Avalé par la tempête, l'avion entre dans une bouillie de nuages qui tourbillonnent sous un vent fou ! William sent la peur lui nouer le ventre. L'aigle sourit :

– Rassure-toi, petit. J'aime jouer avec les ouragans. C'est toujours moi qui gagne.

Pour déjouer les pièges de la tempête, l'aigle fait des loopings, des piqués, des chandelles. Derrière la cabine, les passagers sont terrifiés. Lorsque le soleil revient enfin, ils acclament le pilote, sans savoir qui est leur héros !

– Ce n'est pas la première fois que tu nous a sauvés, s'exclame Jack en secouant les serres de l'aigle.

William a des étoiles dans les yeux :

– Pourquoi êtes-vous devenu pilote ? Ça doit être encore mieux
de voler à l'air libre !

– Je suis né avec une aile paralysée, je n'ai jamais pu m'en servir. C'est
pourquoi mes parents m'ont encouragé à chercher un métier parmi les
hommes. Dans la vie, il ne faut jamais baisser les plumes !

Mais déjà l'Amérique est en vue. L'avion descend et se pose en douceur
sur la piste.

– Il est l'heure de nous quitter, Willy, dit l'aigle. Bonnes vacances !

– Elles ont commencé par un voyage inoubliable, répond William en
admirant une dernière fois l'aigle royal devenu commandant de bord.

Merci !

La grande récré des livres de classe

Ce sont les vacances d'été. Les écoliers sont partis et déjà les livres de classe s'ennuient. Le livre de français récite en boucle ses poésies, le livre de géographie fait déborder le tableau noir de dessins de montagnes et de paysages, quant au livre d'histoire, il soupire devant la fenêtre et rêve de prendre la poudre d'escampette.

– Si seulement on pouvait partir en vacances ! murmure-t-il.

– Rien de plus facile ! s'exclame une voix au-dessus de lui.

C'est l'horloge de la classe.

– Moi aussi je m'ennuie, dit-elle. On n'a plus besoin de moi pour sonner la récréation. Je serais ravie de me rendre utile. Pensez très fort à l'endroit où vous voulez aller et je vous y déposerai !

Excités, les trois livres se donnent la main. Le manuel d'histoire pense tellement fort qu'il devient rouge comme une tomate. Puis tout se passe très vite : les aiguilles de l'horloge s'affolent comme une machine à remonter le temps.

Lorsqu'elles s'arrêtent, les livres ne sont plus dans la classe… mais dans la cour d'un château fort !

– Le Moyen Âge ! s'écrie le livre d'histoire. J'en rêvais !

– Bienvenue, dit Charlemagne. Joignez-vous à mon banquet. Nous festoierons ensemble.

On les habille pour la circonstance, avec des capes de velours brodées de fil doré, puis tout le monde se presse autour de l'immense tablée.

– Vous avez bien quelques divertissements à nous proposer ! s'exclame l'empereur. Le livre de français éblouit l'assemblée avec un poème d'amour. Le livre d'histoire conte les actes héroïques des chevaliers, il est très applaudi. Un montreur d'ours fait alors son apparition. Soudain, c'est la panique : l'ours vient de casser sa chaîne !

Vite, le livre de français pense très
fort à autre chose. Ses joues
deviennent cramoisies, et ça marche :
les livres se retrouvent projetés dans
une usine du XXIe siècle.
– Voici une fabrique de mots rigolos !
explique le livre de français.
Des tas de lettres s'empilent jusqu'au
plafond. Devant eux, une énorme machine
clignotante attend qu'on les introduise pour former
des mots. Les livres glissent un B, un O, puis un R, encore
un B et ainsi de suite… La machine grince, couine, craque
et boum, elle sort : « BORBORYGLABOUILLE ! »
Les livres se tordent de rire.
– On recommence !
Mais ils mettent bien trop de lettres et la machine s'emballe :
la voilà qui crache dix mille mots à la minute ! Ils vont être
engloutis sous les lettres !

Le livre de géographie se concentre jusqu'à virer au rouge tomate.

L'instant d'après, ils sont propulsés dans un lieu tout blanc.

– À quoi as-tu pensé ?

– À une planète toute neuve. À nous de la dessiner !

Le livre de géographie s'empare d'un feutre rose et dessine un beau soleil carré.

Le livre de français colorie des oiseaux verts, ronds comme des ballons. Muni d'un feutre violet, le livre d'histoire esquisse une maison en forme de triangle avec une cheminée en colimaçon. Tandis qu'ils s'amusent comme des fous, les voilà rapatriés dans leur salle de classe.

– Dans cinq minutes, c'est la rentrée ! les prévient l'horloge.

Tout le monde à sa place !

– Youpi ! s'exclament les livres, trop heureux de se faire chatouiller les pages par les mains des écoliers.

La maîtresse s'éclaircit alors la voix :

– Bonjour, les enfants ! Je vois que certains ont déjà commencé l'année en faisant des dessins au tableau… Mmm… un château fort, des mots bizarres et une drôle de planète ! Vous ne manquez pas d'imagination, l'année va être amusante. Allons, ouvrez vos livres et voyons ce qu'ils ont à nous raconter !

La maîtresse en maillot de bain

Madame Bibi est une maîtresse hors pair,
qui adore les bonnes manières
et les règles de grammaire !
Cet été, elle part à la mer...
Dans son sac de plage,
elle a emporté son maillot de bain à pois rouges
et son stylo rouge.
Elle arrive sur la plage, toute guillerette,
des idées de dictées plein la tête.
« En rang les crevettes ! Silence les pipelettes !
Leçon de galipette : pirouette !
Vous, les poissons, écoutez la récitation.
Un peu de concentration,
mes garçons... »
Madame Bibi multiplie
les coquillages,
additionne
les grains de sable
et raconte des histoires
sauvages aux vagues
qui voyagent...

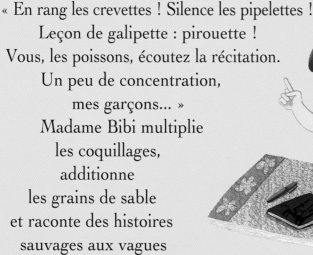

Mais bientôt, madame Bibi est désespérée :
les poissons chantent faux et n'apprennent pas leurs leçons,
les étoiles de mer écrivent comme des vers de terre, tout à l'envers,
et les algues chahutent sans cesse et ne connaissent pas la lettre s...
Madame Bibi serre sa tête entre ses mains.
Elle a le moral dans les chaussettes et rêve de son école :
« Mes petits élèves de là-bas ne sont pas parfaits
mais, à côté de ceux-là, ils sont merveilleux !
Il y a Théo qui fait des grimaces dans mon dos, mais qui est si rigolo !
Et la petite Charlotte, un peu tête de linotte ! »
Madame Bibi est triste.
Si seulement les vacances étaient finies,
elle retrouverait tous ses élèves chéris !

Soudain, dans le sable, elle trouve un drôle de coquillage.
Elle le colle à son oreille pour entendre résonner la mer
mais le coquillage se met à lui parler.
Madame Bibi réfléchit :
« Je suis une maîtresse ! Les coquillages, ça ne parle pas ! »
Mais le coquillage continue :
« Connais-tu la légende des bateaux de l'île des palmiers dorés ? »
Madame Bibi écoute vaguement le récit du coquillage,
mais bientôt, elle se rapproche et boit les paroles enchantées
du coquillage magique qui raconte, raconte...
Si longtemps que le soleil est déjà couché.
Et à la lueur de la lune, le coquillage apprend à madame Bibi
le nom des étoiles.
Madame Bibi n'avait jamais regardé le ciel, la nuit.
C'est si grand...
Comment pourra-t-elle remercier son nouvel ami de lui avoir appris
des choses si belles...

Soudain, sans prévenir, le coquillage saute dans une vague
en criant : « À l'année prochaine ! Ne m'oublie pas ! »

Depuis cet instant, madame Bibi rêve en regardant la mer.

Elle a le cœur poète et vit comme dans un songe...

Le jour de la rentrée, elle oublie la dictée
et dessine des cœurs sur le tableau noir !

« La maîtresse est tombée amoureuse d'un maître nageur ! »
crie un drôle de rouquin.

En entendant ces mots, madame Bibi éclate de rire.

« Pas du tout ! » répond-elle.

Et elle pense :

« Si je raconte que je suis tombée amoureuse d'un
coquillage qui parle, mes élèves vont-ils me croire ?
Certainement pas ! Alors, cela restera mon secret ! »

Bébé Requin a faim !

« Les vacanciers vont bientôt débarquer nombreux sur les plages ! Ha, ha, ha ! ricane le jeune requin, voilà de la bonne chair fraîche ! Finies les indigestions de sardines ou de boîtes de conserve. À moi aussi les vacances idéales : petit déjeuner de surfers, baignade, déjeuner de baigneurs de-ci de-là, sieste, goûter avec tartines de véliplanchistes, pêche, puis dîner aux chandelles avec les baigneurs de minuit. Un programme très alléchant... »

Le jeune requin rêve tout haut. Ses grands frères l'ont prévenu : la pleine saison pour les mets les plus raffinés, c'est l'été !

Alors, tout seul, il se lève dès que les rayons du soleil ont traversé la surface de l'eau et il se poste sous les vagues, là où vont s'entraîner les apprentis surfers. Ceux-là tombent vite à l'eau, ce sont les plus faciles à attraper !

« Du gâteau ! » pense-t-il.

Mais il attend, il attend : aucun surfer en vue.

Exaspéré, le requin demande à un oursin où sont passés les sportifs.

« Mon jeune ami, lui répond-il l'air suffisant, toi aussi, tu sembles débarquer... Les vacanciers viennent d'arriver. Ce matin, ils font la grasse matinée !

– Eh bien, puisqu'ils ne sont pas là, je me contenterai d'un oursin ! »
Et la gueule du requin se referme sur le fruit de mer...

Vers midi, son estomac crie famine. Il retourne donc vers la plage. Les vacanciers sont là! Des centaines de jambes dodues semblent l'attendre. Il force l'allure, la gueule grande ouverte et tout d'un coup, c'est le choc : un scooter des mers lui emboutit son magnifique aileron et le requin ne peut plus contrôler sa direction.

Impossible d'atteindre le rivage. Il tourne en rond !

« J'ai vraiment besoin d'un mécanicien. » Le requin trouve alors un homard terrorisé qui essayait de se cacher sous les rochers.

« Pourriez-vous m'aider avec vos pinces ? J'ai besoin d'une réparation », lui demande-t-il.

Mais le crustacé réussit à rentrer dans son trou.

« Désolé, je suis débordé. C'est l'été ! Je vous arrangerai ça à la fin de la saison... »

Le requin, dépité, s'en va : « Peut-être aurai-je plus de chance avec les véliplanchistes ? »

En cette fin de journée, les vagues sont énormes. Les compétiteurs font des sauts de plus en plus compliqués, de plus en plus haut. À chaque tentative pour attraper un véliplanchiste, le requin referme sa mâchoire sur l'écume des vagues.

Lorsque la nuit tombe, il tente une ultime approche près des bateaux, mais un enfant crie :

« Dents de la mer, dents de la mer ! »

Les plaisanciers sortent leurs appareils photo. Les flashs crépitent.

Le jeune requin, oubliant la faim, pense qu'il peut devenir célèbre.

Il prend la pose, sourit de ses grandes dents, fait le beau.

« Finalement, se dit-il, je me contenterai bien encore de quelques sardines. Je retourne dans les grands fonds...

Les vacances, c'est bien trop dangereux ! »

Et moi plus et moi mieux

« Et toi, Julien, où vas-tu en vacances ? demande Léo.

— Alors moi, c'est incroyable, je pars en vacances tout seul en Afrique, dans la savane, comme l'année dernière. Là, j'ai ma jeep, je conduis, je vais où je veux, je fais la course avec les antilopes (je gagne toujours, évidemment !), je vais chasser avec les lions, car c'est très facile de devenir ami avec un lion, ils ne sont pas du tout méchants comme les gens croient, il suffit de leur montrer qui est le chef, c'est tout. Je fais des balades à dos de girafe, je me lave avec les éléphants et les crocodiles, je fais des grimaces avec les singes. Enfin bon, des vacances d'aventurier, quoi ! Et toi, Léo, tu fais quoi ?

- **A**lors moi, mon père qui est spationaute m'emmène dans sa fusée tout l'été. Bien sûr, c'est moi qui conduis et qui décide où on va, parce que mon père, c'est ses vacances alors il préfère "déléguer", comme il dit ! Je pense que cet été on va aller faire un petit tour sur la Lune, histoire de voir quelques cratères, puis une balade dans un champ d'astéroïdes, ils arrivent sur vous à 6 milliards de kilomètres-heure, il faut les éviter, c'est super, puis nous finirons sur Pluton, la planète la plus lointaine, où personne n'est jamais allé, mais nous si ! Enfin je vous le dis, mais c'est un secret, ça reste entre nous, sinon on va avoir tous les services secrets de tous les pays du monde sur le dos, alors merci !

Et toi, Mattéo, tu fais quoi de tes vacances ?

- Moi, j'irai dans ma petite maison de la forêt enchantée, celle où vivent Boucle d'or et les trois ours, et aussi les sept nains, très gentils et très travailleurs, je vais parfois les aider à la mine de diamants. Et puis y a la Belle au bois dormant qui passe parfois discuter. Depuis qu'elle est réveillée, elle est bavarde, bavarde, elle veut tout le temps discuter, et je suis aussi très copain avec Hansel, mais Gretel, elle, est un peu collante ! Enfin on n'a pas trop le temps de s'amuser car on prépare les cadeaux avec le Père Noël et les lutins, je leur donne des idées, je leur dis qui est sage, qui ne l'est pas, vous voyez, quoi. »

La cloche de l'école sonne.

« Bonnes vacances en Afrique, Julien !

– Et toi, bon voyage interstellaire, Léo !

– Tu embrasseras le Père Noël pour nous, Mattéo. »

Mais le lendemain, bing, Mattéo bouscule Léo qui, bing à son tour, percute

Julien devant la marchande de glaces de Pipoti-sur-Mer !

« Ben, qu'est-ce que tu fais là ?

– Et toi, qu'est-ce que tu fais là ?

– Ben, le vaisseau spatial est en panne…

– Et moi, j'en avais assez de l'Afrique, il fait trop chaud…

– Et moi, je ne crois plus au Père Noël ! »

Les trois amis éclatent de rire. « Vous savez ce qu'on dira

aux copains à la rentrée ? Qu'on est allés en vacances

en navette spatiale sur Neptune pour voir le Père Noël

et qu'on a emmené tous les animaux

de la savane dans notre super-vaisseau ! »

« Au secours !
l'école me poursuit ! »

Cet été, comme tous les ans Emma part en vacances sur une jolie petite plage. Elle est si contente de la retrouver qu'à peine arrivée elle se précipite dans l'eau pour se baigner.

« Tiens ! se dit-elle en voyant Julien, l'un de ses camarades de classe. Ça, c'est bizarre. »

Soudain, elle aperçoit au bord de l'eau une silhouette :

« Mon Dieu ! » C'est Monsieur Bideau, le redoutable maître nageur de son école, armé comme toujours de sa perche et de sa vieille paire de tongs avachies !

« Qu'est-ce qu'il fait ici ? » Contrariée, Emma sort de l'eau pour aller s'acheter une glace.

« Bonjour, Madame Gaufrette, pourrais-je avoir un cornet de glace vanille-fraise, s'il vous plaît ? demande Emma à la marchande.

– Pas de glace, ma petite. Le menu, c'est endives au jambon ! » lui répond la marchande. Emma lève la tête : « Horreur ! » C'est Madame Jourdain, la serveuse acariâtre de la cantine de l'école !

C'en est trop pour Emma : elle s'enfuit et se réfugie derrière une dune.

Que font-ils là ? Elle ne peut donc pas être tranquille, même en vacances ?

LE MENU, C'EST ENDIVES AU JAMBON !

Elle s'assoit sur le sable, quand soudain elle entend dans son dos
une voix étrangement familière :

« Sachant que la température de l'air est de 24 °C, la température de l'eau
de 18 °C, qu'il y a 38 mouettes dans le ciel, et il y a 129 vacanciers
sur la plage, que le bateau au loin se nomme *La Baleine* (9 lettres), qu'il mesure
30 m de long, qu'il y a à bord 12 cabines et 22 matelots
(dont 15 portent la barbe), quel est l'âge du capitaine ? »

Emma se retourne : c'est bien Mademoiselle Renard, sa vieille institutrice
penchée sur elle, lançant son regard sévère et perçant par-dessus ses lunettes
tout en grattant de sa main droite les poils qui ornent son menton pointu.

« Au secouuurs ! »

crie Emma de toutes ses forces. Tout se met à tourner et elle se réveille :
elle est dans le train. Sa maman est à côté d'elle :
« Eh bien, lui dit-elle, tu as fait un vilain cauchemar, on dirait !
— Oh Oui, lui répond Emma, ouf ! » Et elle regarde, soulagée, défiler
le paysage par la fenêtre du train qui l'emmène loin
de l'école, vers la jolie plage des vacances.

Titus,
caniche des savanes

Il était une fois un petit caniche appelé Titus qui accompagnait la baronne de la Bergamote dans un safari, au cœur de la savane africaine.

Tout à coup, Titus fut pris d'un besoin pressant. Alors qu'il cherchait l'endroit propice pour se soulager, il tomba soudain nez à nez avec un autre animal qui lui ressemblait étrangement.

« Ça alors, se dit Titus, il y a des caniches géants orange par ici ?

– Ça alors, se dit le lion (car c'en était un), un lion nain rose !

– D'où viens-tu ? Que fais-tu par ici ? demanda le lion à Titus.

– Je m'appelle Titus de la Bergamote, je viens d'Europe et je cherche un endroit où faire pipi, répondit le caniche en se dandinant d'une patte sur l'autre.

– Eh bien, tu n'as qu'à aller contre l'arbre là-bas », répondit le lion.

Voyant l'arbre, Titus répliqua :

« Vous en avez de drôles de réverbères par ici, ils n'éclairent pas ?

– Pourquoi les arbres éclaireraient-ils ? Le soleil et la lune suffisent, déclara le lion. Des arbres qui éclairent… Cela dit, quand la nuit est noire, ça peut être utile…

– J'ai faim ! Où est la baronne ? s'inquiéta le caniche.

– Suis-moi, dit le lion. Nous rentrons justement de la chasse, qui a été bonne. »

En apercevant le repas des lions, Titus, horrifié, réprima un haut-le-cœur : « Euh… vous n'auriez pas plutôt une boîte de Doggy©

(pour les chiens délicats) ou bien quelques biscuits ? gémit-il, au bord de l'évanouissement.

– Comment ça ? dit le lion. Tu n'aimes pas l'antilope ? »

Le caniche lui expliqua comment il était nourri chez la baronne.

Le lion le fixa, stupéfait : « Tu veux dire que chez toi, tu fais cuire les antilopes, tu les coupes en petits morceaux et tu les mets dans une boîte avant de les manger ? Étrange… Remarque, si ça permet de conserver la nourriture plus longtemps, c'est pas bête… »

J'ai faim !

J'ai faim !

J'ai faim !

Le lion proposa au caniche d'aller se rafraîchir au point d'eau.

« Chouette, un shampoing ! » s'enthousiasma Titus.

À l'approche du point d'eau, Titus commençait à se demander où pouvait bien être caché Mario, son shampouineur attitré, quand il tomba en arrêt : « Mais ! Là, près du baobab ! C'est la baronne ! J'ai retrouvé mon amie la baronne ! jappa-t-il joyeusement.
– Euh… Tu es sûr que c'est ton amie ? demanda le lion. On dirait un hippopotame avec une peau de léopard sur le dos… » Il est vrai que la baronne, car c'était bien elle, n'était pas mince et s'habillait avec extravagance. Soulagé, Titus courut la retrouver, non sans avoir remercié le lion pour son aide.

Titus racontait avec enthousiasme son escapade à la baronne.

« J'ai vu des caniches géants oranges !

J'ai fait pipi dans la forêt !

J'ai mangé de l'antilope crue ! »

Quant au lion, en rentrant chez lui, il repensait à ce petit lion rose d'Europe et à son amie qui ressemblait à un hippopotame avec une peau de léopard, à leurs arbres lumineux, à leur antilope en boîte, et il n'en revenait toujours pas.

Coquine et Coquette,
les reines de la baguette

Coquine et Coquette étaient des fées jumelles qui vivaient au prestigieux pensionnat de l'École des fées railleuses. Mais cette année-là, elles avaient été privées de vacances par madame Revêche, la directrice. Les autres petites fées faisaient leurs bagages et s'apprêtaient à regagner le royaume de Sage-comme-une-image, mais Coquine et Coquette étaient consignées à l'école durant toutes les vacances de Pâques ! C'est qu'elles avaient fait pas mal de bêtises !

La semaine précédente, pour la soirée déguisée de l'école, elles s'étaient faufilées dans la chambre de madame Revêche en ouvrant la serrure grâce à leur baguette-de-chouette, elles avaient pris ses habits et ses chaussures à talons pour faire… le parfait déguisement de directrice ! Mais alors que Coquette se pomponnait dans la salle de bains avec le parfum de madame Revêche, Coquine entendit des pas. Elles coururent pour échapper à la directrice. Or il y avait une règle impérative dans l'école : on ne court pas dans les couloirs ! Cela déréglait le sommeil des chouettes et des trolls qui dormaient dans les salles de classe en attendant les élèves. Ils étaient alors d'une humeur effroyable et refusaient d'aider les maîtresses à donner des leçons de magie.

Les jumelles avaient donc été punies par madame Revêche…

En voyant leurs camarades quitter l'école, les jumelles se mirent à bouder.

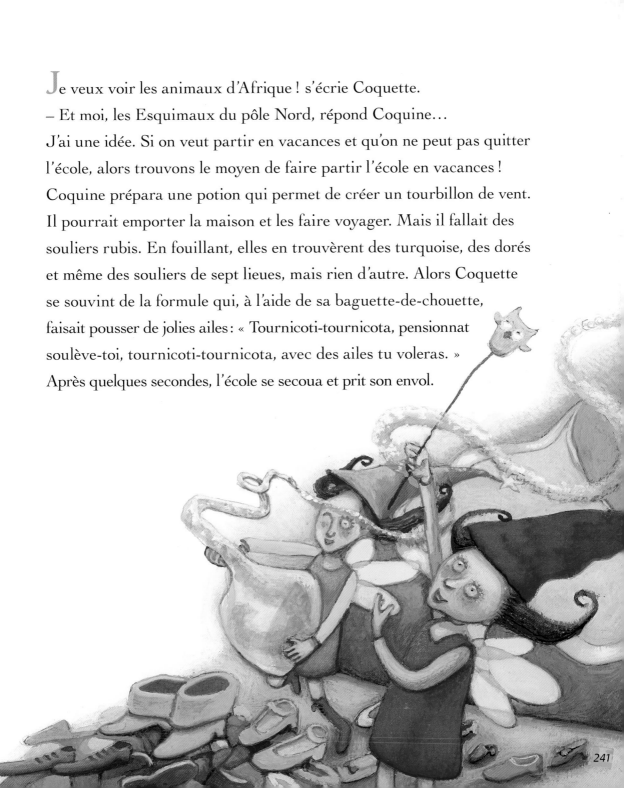

Je veux voir les animaux d'Afrique ! s'écrie Coquette.

– Et moi, les Esquimaux du pôle Nord, répond Coquine…

J'ai une idée. Si on veut partir en vacances et qu'on ne peut pas quitter l'école, alors trouvons le moyen de faire partir l'école en vacances !
Coquine prépara une potion qui permet de créer un tourbillon de vent.
Il pourrait emporter la maison et les faire voyager. Mais il fallait des souliers rubis. En fouillant, elles en trouvèrent des turquoise, des dorés et même des souliers de sept lieues, mais rien d'autre. Alors Coquette se souvint de la formule qui, à l'aide de sa baguette-de-chouette, faisait pousser de jolies ailes : « Tournicoti-tournicota, pensionnat soulève-toi, tournicoti-tournicota, avec des ailes tu voleras. »
Après quelques secondes, l'école se secoua et prit son envol.

Coquette mit le cap sur l'Afrique. Depuis les larges fenêtres de l'école, les jumelles aperçurent des zèbres courir dans la savane et des éléphants se déplacer paisiblement en troupeaux. Des lionnes et leurs petits venaient boire au pied de grandes cascades d'eau. C'était un spectacle fabuleux et, si elles n'avaient pas eu si peur, les petites fées auraient sauté pour les rejoindre. Mais soudain, elles virent un nuage de petits oiseaux bleus.

C'étaient les hirondelles qui, de retour d'Afrique, allaient annoncer le printemps en Europe. Elles proposèrent aux deux fées de faire un bout de chemin ensemble. Arrivées à la tour Eiffel, les fées laissèrent leurs amies hirondelles construire leurs nids et mirent le cap sur le pôle Nord où elles arrivèrent en trois coups de baguette-de-chouette. Coquine s'extasia devant les petits Esquimaux et leurs igloos. Les jumelles observaient comment ils pêchaient en faisant des trous dans la glace, elles avaient bien envie d'avoir elles aussi des vêtements en peau de phoque…

car il faisait bigrement froid !

Mais soudain elles entendirent un grand cri
derrière elles. Le vieux gardien du pensionnat
venait de réaliser que l'école volait dans les airs…
Il avait affreusement le vertige et il gelait sur place !
Il les força à ramener l'école à son emplacement normal
en un coup de baguette-de-chouette.

À peine reposé, le pensionnat ouvrit ses portes aux
petites fées de retour de vacances. Elles retrouvèrent
l'école comme elles l'avaient laissée, sauf peut-être
quelques petites plumes ici et là qui faisaient éternuer
les trolls, et le visage encore tout vert-vertige et
bleu-frileux du vieux gardien…

L'île aux bonbons

Les vacances touchaient à leur fin, et le bateau de la famille Mûre rentrait au port après une longue croisière. Il naviguait sur l'océan, toutes voiles dehors, lorsqu'un terrible craquement se fit entendre sous la coque. Monsieur Mûre pâlit et dit à ses enfants :

– Nous avons heurté un rocher. Vite, grimpez dans le canot de sauvetage !

À peine les parents et leurs trois enfants étaient-ils à l'abri que leur voilier coula au plus profond de la mer. Pauline, la petite dernière, se mit à pleurer, mais madame Mûre rassura ses enfants :

– Nous allons ramer jusqu'à l'île que vous apercevez là-bas.

Quelques instants plus tard, le canot atteignait la plage. En sautant à terre, Clémence poussa un cri :

– Au secours !
Du sable mouvant !

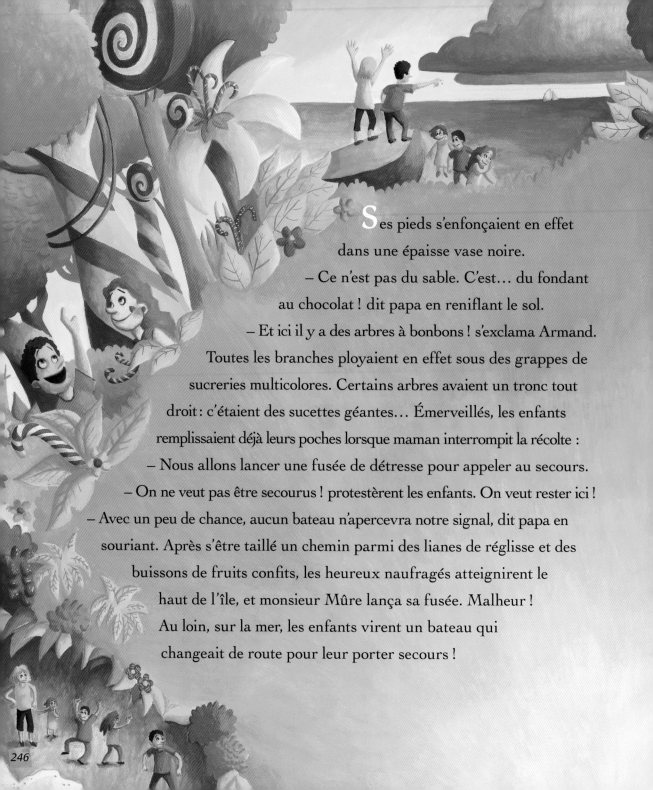

Ses pieds s'enfonçaient en effet dans une épaisse vase noire.

— Ce n'est pas du sable. C'est… du fondant au chocolat ! dit papa en reniflant le sol.

— Et ici il y a des arbres à bonbons ! s'exclama Armand.

Toutes les branches ployaient en effet sous des grappes de sucreries multicolores. Certains arbres avaient un tronc tout droit : c'étaient des sucettes géantes… Émerveillés, les enfants remplissaient déjà leurs poches lorsque maman interrompit la récolte :

— Nous allons lancer une fusée de détresse pour appeler au secours.

— On ne veut pas être secourus ! protestèrent les enfants. On veut rester ici !

— Avec un peu de chance, aucun bateau n'apercevra notre signal, dit papa en souriant. Après s'être taillé un chemin parmi des lianes de réglisse et des buissons de fruits confits, les heureux naufragés atteignirent le haut de l'île, et monsieur Mûre lança sa fusée. Malheur !

Au loin, sur la mer, les enfants virent un bateau qui changeait de route pour leur porter secours !

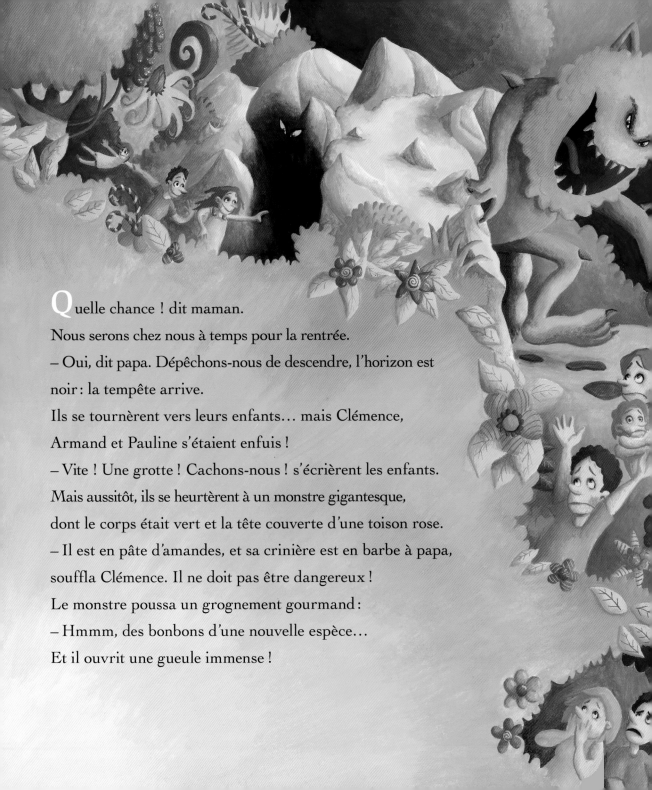

Quelle chance ! dit maman.

Nous serons chez nous à temps pour la rentrée.

– Oui, dit papa. Dépêchons-nous de descendre, l'horizon est

noir : la tempête arrive.

Ils se tournèrent vers leurs enfants… mais Clémence,

Armand et Pauline s'étaient enfuis !

– Vite ! Une grotte ! Cachons-nous ! s'écrièrent les enfants.

Mais aussitôt, ils se heurtèrent à un monstre gigantesque,

dont le corps était vert et la tête couverte d'une toison rose.

– Il est en pâte d'amandes, et sa crinière est en barbe à papa,

souffla Clémence. Il ne doit pas être dangereux !

Le monstre poussa un grognement gourmand :

– Hmmm, des bonbons d'une nouvelle espèce…

Et il ouvrit une gueule immense !

Les enfants bondirent hors de la grotte, poursuivis par le monstre qui sortait déjà sa langue de guimauve pour les avaler. Papa et maman crièrent de loin :

– Courage, nous arrivons ! C'est alors que l'orage éclata. Une pluie battante se mit à tomber. Sous les yeux stupéfaits de la famille Mûre, le monstre de sucre fondit en un clin d'œil. Les enfants, eux, fondirent en larmes : ils avaient eu vraiment très peur.

– Je veux rentrer à la maison et à l'école, bredouilla Pauline.

– Nous aussi, ajoutèrent Clémence et Armand.

La famille regagna la plage en courant. Il était temps : l'île entière fondait sous l'averse ! Lorsque les sauveteurs arrivèrent, il ne restait plus qu'un rocher de sucre candi, sur lequel la famille Mûre s'était réfugiée. Quelques jours plus tard, les enfants rentrèrent à l'école, où ils racontèrent leur aventure à leurs amis. Personne ne voulait les croire :

– Vous en inventez, des histoires !

Alors, les trois enfants retournèrent leurs poches, et une avalanche de bonbons se déversa dans la cour de récréation. C'étaient des bonbons exotiques que personne n'avait jamais vus… et dont tout le monde raffola !

Gaspard
au pays des vrais ours

Rémi et ses parents sont partis ! Gaspard le petit ours en peluche peut sortir de sa cachette. Il est un peu embêté pour Rémi qui l'a cherché partout et qui a été obligé de partir en vacances sans lui. Mais cette fois c'était trop important et puis, Rémi pourra retrouver d'autres jouets chez ses grands-parents, il ne sera pas tout seul. Gaspard s'est caché car, depuis des mois, il rêve de découvrir d'où il vient. La grande poupée rousse de la sœur de Rémi lui a dit que les ours vivent dans les forêts, mais il n'y est jamais allé. Il n'a même jamais vu de vrais ours de sa vie ! Aujourd'hui, c'est décidé, il part en vacances dans la forêt.

Tous les autres jouets veulent l'aider à sortir de la maison. Comme la porte est fermée à clé, le robot soulève Gaspard avec son bras articulé jusqu'au rebord de la fenêtre de la chambre de Rémi. Les soldats de plomb glissent leurs épées pour faire levier et réussissent à ouvrir ! La grande poupée rousse jette son manteau sur le sol pour que Gaspard ne se fasse pas mal en sautant. Une fois Gaspard dehors, ils lui font des grands signes par la fenêtre pour lui souhaiter bonne chance.

Gaspard marche pendant longtemps droit devant lui. Il fait froid et il a mal aux coussinets à force de marcher sur les brindilles qui piquent. Il hésite à retourner d'où il vient, quand un sanglier sort de derrière un buisson :

– Que viens-tu faire par là ? lui demande le sanglier.

Je voudrais voir un ours, lui explique Gaspard.

– Mais c'est très dangereux, lui répond le sanglier. Les ours hibernent en cette saison. Il ne faut surtout pas les réveiller, sinon tu risques de les énerver. Bonne chance !

Gaspard remercie le sanglier et continue à avancer. Il a de plus en plus mal aux pattes.

Il se réfugie dans une grotte pour se reposer. Soudain, il entend un énorme ronflement. Apeuré, Gaspard se relève immédiatement et regarde derrière lui.

Il est là ! Endormi sur le sol, la tête appuyée sur un gros caillou : un énorme ours brun qui lui ressemble ! Gaspard est tellement content de voir enfin un VRAI ours qu'il ne regarde pas où il marche. Quand un vilain caillou pointu lui entre dans la patte droite, il ne peut se retenir de crier.

L'ours brun ouvre alors les paupières et se frotte les yeux. Il se lève lentement, regarde autour de lui d'un air fâché et se met à crier de sa grosse voix :

– Qui ose ainsi me réveiller alors que je suis tranquillement en train d'hiberner ?

Gaspard a si peur qu'il se fige.
L'ours le voit et s'approche de lui
pour le renifler. Gaspard arrête de
respirer. L'ours brun ne sent rien de bon
à manger car les ours en peluche
ne sentent que la lessive et les câlins.
Alors, épuisé, le gros ours bâille, hausse
les épaules et se recouche.

Dès que l'ours se remet à ronfler, Gaspard repart
sur la pointe des pattes. Il marche longtemps et retrouve
enfin la maison. Il grimpe jusqu'à la fenêtre que les jouets
ont laissée ouverte.

Gaspard leur raconte toute son aventure, puis se glisse
dans le lit douillet de Rémi. Le robot lui a donné
des gâteaux, la poupée rousse lui a mis
des pansements sur ses petites pattes et,
malgré ses bobos, il est drôlement
heureux parce que, lui aussi,
il va pouvoir hiberner…
mais bien au chaud
à la maison !

Gola,
la pieuvre gourmande

*P*aul savait très bien dessiner. Un jour, en rentrant de courses, sa maman avait vu sur un des paquets qu'un grand concours de dessins était organisé par une marque de poisson surgelé. Elle l'avait inscrit et Paul avait gagné le premier prix : un voyage pour trois personnes en sous-marin ! C'est ainsi que Paul, Marc son petit frère et Nora leur petite sœur partirent faire un tour des mers pendant les vacances. Les enfants étaient très sages et partageaient la vie de l'équipage. Or, un soir, ils vécurent une aventure extraordinaire.

Nora était dans les cuisines. Pour l'anniversaire du commandant, le cuisinier avait décidé de préparer un gâteau des îles.

Nora devait verser le sucre au dernier moment dans la pâte.

Mais elle se trompa de bocal et jeta de la poudre de crabe à la place. Lorsque le gâteau se mit à cuire, une odeur épouvantable envahit tout l'habitacle. Tout le monde dut se mettre des pinces à linge sur le nez. Dans la salle des commandes, Marc riait en regardant le nez du commandant qui ressemblait maintenant à celui d'un hippocampe lorsqu'une énorme secousse ébranla le navire. Son rire fut aussitôt remplacé par le grondement des machines. Quelque chose n'allait pas. Le commandant était tout blanc. Le périscope ne fonctionnait plus. Le sous-marin s'enfonçait dans la mer à toute vitesse.

Au même instant, Paul, qui était resté depuis le début du voyage le nez scotché au hublot de sa couchette pour dessiner des poissons, se mit à appeler tout l'équipage. Une chose ronde et gluante venait de se coller à la vitre. Le commandant arriva en trombe dans sa cabine.

– Nous sommes attaqués par une pieuvre géante, s'écria-t-il en voyant la ventouse sur le hublot.

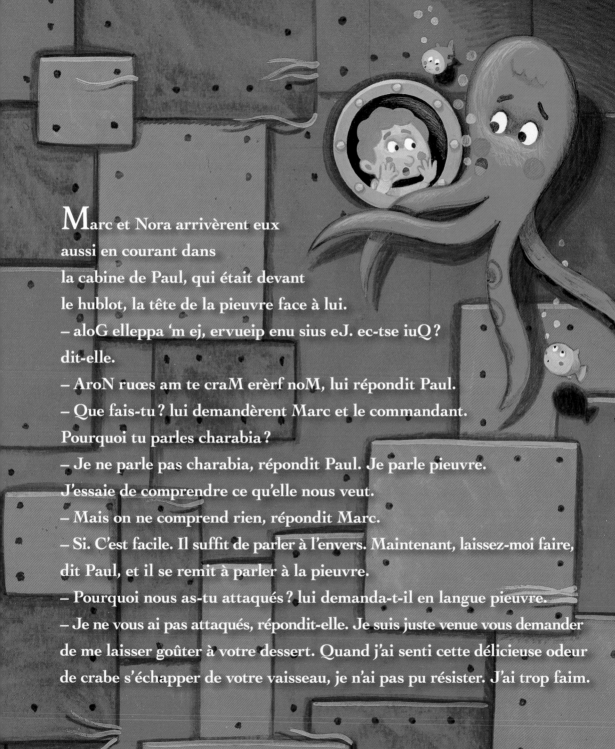

Marc et Nora arrivèrent eux
aussi en courant dans
la cabine de Paul, qui était devant
le hublot, la tête de la pieuvre face à lui.

– aloG elleppa 'm ej, ervueip enu sius eJ. ec-tse iuQ ?
dit-elle.

– AroN ruœs am te craM erèrf noM, lui répondit Paul.

– Que fais-tu ? lui demandèrent Marc et le commandant.
Pourquoi tu parles charabia ?

– Je ne parle pas charabia, répondit Paul. Je parle pieuvre.
J'essaie de comprendre ce qu'elle nous veut.

– Mais on ne comprend rien, répondit Marc.

– Si. C'est facile. Il suffit de parler à l'envers. Maintenant, laissez-moi faire,
dit Paul, et il se remit à parler à la pieuvre.

– Pourquoi nous as-tu attaqués ? lui demanda-t-il en langue pieuvre.

– Je ne vous ai pas attaqués, répondit-elle. Je suis juste venue vous demander
de me laisser goûter à votre dessert. Quand j'ai senti cette délicieuse odeur
de crabe s'échapper de votre vaisseau, je n'ai pas pu résister. J'ai trop faim.

Dès que Paul eut traduit ce qu'avait dit la pieuvre, Marc eut une idée. Un mécanicien lui avait montré un petit appareil téléguidé qui permettait de sortir se promener dans la mer. S'ils mettaient le gâteau dans l'appareil, la pieuvre aurait son repas et eux, la vie sauve. Le commandant n'était pas vraiment convaincu mais, ne sachant que faire, il accepta. Une fois le gâteau qui sentait si mauvais dans l'engin, ce dernier fut lancé hors du sous-marin. La pieuvre détacha alors ses tentacules des parois pour partir en souriant à la poursuite du petit véhicule et de son horrible odeur.

– icreM ! cria-t-elle en partant.

Sitôt le sous-marin libéré, ils remontèrent à la surface. Ils purent ainsi fêter l'anniversaire du commandant en regardant le soleil se coucher dans la mer en guise de dessert et… ils aérèrent le sous-marin !

Squelettes-partie
au musée !

Le gardien jeta un dernier coup d'œil dans la galerie de Paléontologie
qui fermait pour les grandes vacances d'été : tout était en ordre.

Les squelettes millénaires reposaient en silence dans la pénombre. Rassuré,
il s'éloigna. Dix minutes s'écoulèrent. Soudain, la lumière jaillit dans la galerie.

– Viiiive les vacances !

De sa voix enthousiaste, Mammouth venait d'ouvrir les festivités.

Un à un, les squelettes s'animèrent.

– Ça fait du bien de se dérouiller les os ! confia la baleine en faisant
craquer sa colonne vertébrale.

– Qué sí ! Y avais uné crrampe à l'aurricoulairre dépouis les vacances
dé Pâques ! dit le glyptodon d'Amérique du Sud.

Trop occupés à s'étirer et à délier
leur langue, les squelettes
n'entendirent pas un petit garçon s'approcher.

– Ouaaah ! dit-il émerveillé. Des squelettes vivants !

Les animaux se figèrent.

– D'où viens-tu ? demanda Mammouth.

– Je suis resté caché jusqu'à la fermeture pour
passer la nuit au musée, avoua Théo avec l'âme
d'un aventurier.

– Ne parle de ça à personne ! prévint T-rex.
Sinon, on te coupe les tibias et on les ajoute
à la collection !

Promis ! dit Théo en souriant. T-rex n'avait heureusement
pas l'air sérieux…

– Alors, à quoi on s'amuse ? questionna la baleine.

– À se déguiser ! proposa le garçon.

Il revint avec un sac bourré de vêtements, de quoi jouer les Belle au bois
dormant ou sauver le monde en costume de Super héro !

J'ai trouvé ça dans la cave du musée, expliqua Théo.

Autant en profiter !

– Ce boa est fait pour moi ! s'écria la baleine
qui nouait déjà le foulard autour de son cou.

T-rex craqua sur le costume
de Dark Vador.

– Ça t'amincit, le complimenta
Mammouth.

– Essaie cette cape de d'Artagnan,
tes défenses feront merveille en
guise d'épée, assura T-rex.

Puis, s'adressant au glyptodon :
– Tu ne fais pas tes 70 millions
d'années avec cette robe de Cendrillon !
– Cé soirr, yé une nouvelle yeunesse !
T-rex-Vador enleva la princesse glyptodon pour
l'enfermer dans le ventre de la baleine-boa.
Une course-poursuite s'engagea, semant la pagaille
du premier étage au rez-de-chaussée. Mammouth-squetaire,
monté par Théo-del-Zorro, dévala le grand
escalier d'honneur dans l'espoir d'arriver telle
une boule de bowling dans le camp ennemi.
Mais, entraînés par leur course folle, ils tombèrent
sur l'interminable colonne vertébrale du
diplodocus… et finirent leur course
comme sur un toboggan !

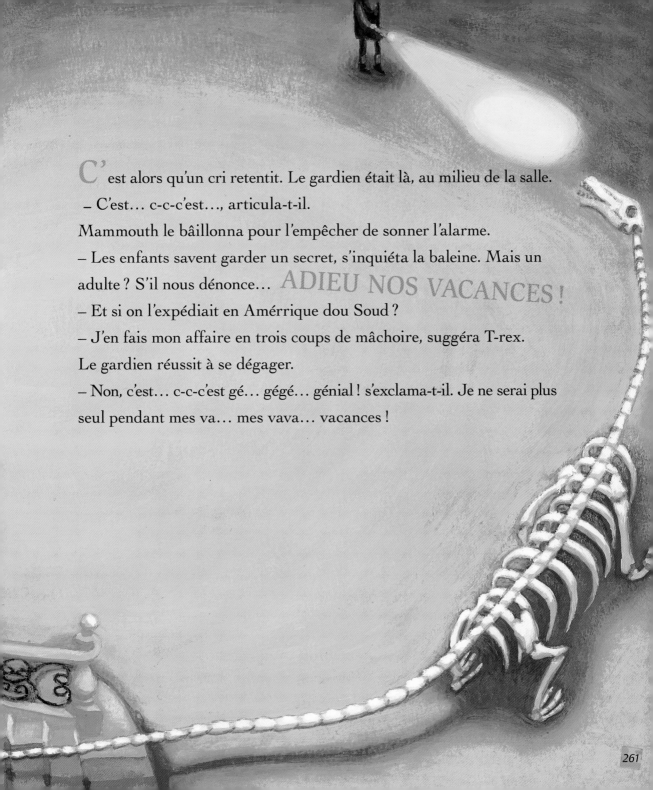

C'est alors qu'un cri retentit. Le gardien était là, au milieu de la salle.

– C'est… c-c-c'est…, articula-t-il.

Mammouth le bâillonna pour l'empêcher de sonner l'alarme.

– Les enfants savent garder un secret, s'inquiéta la baleine. Mais un adulte ? S'il nous dénonce… ADIEU NOS VACANCES !

– Et si on l'expédiait en Amérrique dou Soud ?

– J'en fais mon affaire en trois coups de mâchoire, suggéra T-rex.

Le gardien réussit à se dégager.

– Non, c'est… c-c-c'est gé… gégé… génial ! s'exclama-t-il. Je ne serai plus seul pendant mes va… mes vava… vacances !

Il était bègue. C'était des cris de joie
qu'il poussait tout à l'heure, et pas
des cris d'alerte !
Leur secret serait bien gardé. La course-
poursuite reprit dans la bonne humeur et
se continua chaque soir des vacances.
Puis un jour le gardien sonna la rentrée.
– Attends, je vais faire pipi ! prévint T-rex.
– Trop tard ! dit le gardien qui ouvrait déjà
les portes. Tu iras à Noël !
Depuis, les visiteurs remarquèrent que le T-rex,
le plus grand carnivore de tous les temps,
le roi des dinosaures, la terreur du Jurassique,
se tenait bizarrement les genoux bien serrés…

Le TTTGV du soleil

*Le jour de la sortie des classes, Louis et Sarah revinrent chez eux de mauvaise humeur.

– Vous n'êtes pas contents d'être en vacances ? s'étonna leur maman.

– À quoi ça sert d'être en vacances puisqu'on reste à la maison ! protestèrent les enfants.

– Soyez raisonnables. Vous savez bien que papa doit travailler encore deux semaines. Nous partirons dès qu'il prendra ses congés.

Leur papa, qui venait juste de rentrer, avait tout entendu. Un sourire malicieux se dessina sur ses lèvres :

– On peut arranger ça, les enfants. Demain, je vous emmène à mon travail, c'est-à-dire au soleil.

Louis et Sarah le regardèrent sans comprendre. Étienne, leur papa, était contrôleur de train. Il passait ses journées à parcourir des wagons sans trop voir la lumière du jour ! Mais ils ne posèrent pas de questions…

Le lendemain, de bonne heure, ils arrivèrent à la gare. Le chef les accueillit en souriant :

– Le TTTGV est déjà en place au quai n° 17. Bon voyage !

– Un TTTGV ? répéta Louis en ouvrant des yeux ronds.

– Oui : c'est un Train à Très Très Grande Vitesse, répondit Étienne. Même s'il est sagement posé sur ses rails, il ressemble à une fusée !

À peine dans le train, les enfants entendirent un haut-parleur annoncer :

– Mesdames et messieurs, vous avez pris place à bord du TTTGV *Voie lactée* à destination du Soleil. Il desservira les gares de Vénus et de Mercure. Arrivée au Soleil à 21 h 30.

Un grondement assourdissant se fit entendre. À l'arrière du train, un réacteur s'était mis à cracher du feu. Le TTTGV démarra comme une flèche. Les rails commencèrent à monter, d'abord en pente douce, puis à la verticale. Le train fonça dans le ciel, transperça les nuages… et atteignit l'espace !

– Je remplace un collègue contrôleur des trains de l'espace qui est en vacances, expliqua enfin Étienne.

Tu veux dire qu'on va vraiment aller
au Soleil ? murmura Sarah.

– Bien sûr. Regarde le paysage : nous arrivons déjà
à Vénus.

Les enfants fascinés aperçurent par la fenêtre une planète rouge qui
grossissait à vue d'œil. Aux arrêts de Vénus et de Mercure, une foule
de voyageurs étranges monta à bord. C'étaient des extra-terrestres en
vacances qui partaient… au Soleil ! Lorsque le train approcha de sa
destination, la chaleur devint intense. Louis s'inquiéta :

– Notre train va fondre !

– Non, il est construit dans un matériau qui résiste au bouillonnement
du Soleil, dit Étienne.

« Terminus, tout le monde descend ! » annonça le haut-parleur.

Dehors, c'était un flamboiement de rouge, de jaune et d'orangé…

— Tout le monde sauf
nous, dit Étienne
à sa famille. Les humains ne résistent pas
à la chaleur solaire : seuls les extra-terrestres ont
la peau assez solide pour passer des vacances ici !
Au retour, Louis et Sarah admirèrent les millions d'étoiles accrochées
dans l'espace. En arrivant sur Terre, tandis que le train freinait
pour descendre vers la gare, ils demandèrent à Étienne :
— Est-ce qu'on pourrait revenir voir les étoiles ?
— Bien sûr. Un jour, je vous emmènerai explorer Mars,
Jupiter, et aussi Saturne avec ses beaux anneaux.
— Quand, quand ? demandèrent les enfants.
— Aux vacances d'hiver… Parce qu'il fait très froid
sur ces planètes-là !

Les apprentis pirates
des Caraïbes

Colin, Joanne et leurs parents sont venus passer leurs vacances dans les Caraïbes, sur l'île de la Tortue dont la légende dit qu'elle était le repaire des plus dangereux pirates que la Terre ait jamais portés ! À peine débarqués, les enfants filent jouer sur la plage, faire des pâtés, des châteaux et des jeux de pirates.

C'est alors qu'ils aperçoivent une colonie de tortues géantes qui vont leur chemin d'un pas lourd et sonore : « BADABLING BADABLING BADABLING. »

– Ne vous éloignez pas trop ! recommandent leurs parents.

Mais les graines de pirates ont déjà enfourché leurs montures d'écailles et partent explorer l'île à dos de tortue !

Soudain, longeant la côte, ils tombent sur un navire battant pavillon noir !
– Ça alors, de vrais pirates !
Sur le pont du bateau, des hommes en file indienne attendent le supplice de la planche.

Poussez pas !
– Laissez-moi passer !
– C'est pas du jeu, chacun son tour !
Colin et Joanne restent bouche bée : ces hommes, ce sont des pirates en maillots de bain, et la planche, un plongeoir de haute voltige ! À bâbord, deux matelots jouent au ping-pong avec un boulet de canon pendant que, à tribord, deux hommes à la jambe de bois trinquent à la santé de leur dernière jambe !

Vous ne devriez pas être à la recherche d'un trésor ? demande Colin au capitaine.

– Voilà six mois que nous creusons, piochons, suons, et pas l'ombre d'une pièce d'or ! grommelle Barbe Rousse. On a bien droit à des vacances ! Si vous vous croyez plus malins, voici la carte au trésor, moi je m'en vais faire une petite bombe !

Alors que le pirate s'élance du plongeoir, les enfants se précipitent sur la carte.

– Un rébus ! dit Joanne. J'adore ça !

– « La tôt r' tue haie mât gare 10 N », déchiffre Colin. Suivons les tortues, elles nous mèneront au trésor !

Comme si le signal avait été donné, les tortues se mettent en branle,
« BADABLING BADABLING BADABLING, PLOUF » !

Direction les profondeurs ! Accrochés à leurs carapaces, Colin et Joanne
sondent l'océan, les yeux grands ouverts. En vain. Soudain, quelque chose
brille sur la droite… Une perle ? Un bijou ? Non, des dents de requins !
Et leurs coups de mâchoire ne disent rien qui vaille !

– Fais comme moi, Colin !

Joanne se met à frapper sur les carapaces des tortues, imité aussitôt par
son frère. Très vite, le bruit s'amplifie : « BADABLING BADABLING
BADABLING », et les requins, à l'ouïe sensible, doivent se boucher
les oreilles et battre en retraite ! Vite, la terre ferme !

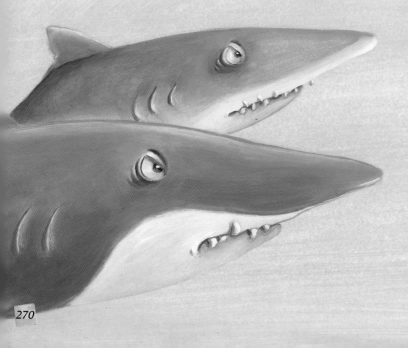

La musique s'arrête et tout le monde se met à courir dans tous les sens pour se cacher. Lochon attrape Aristide et l'emmène dans sa maison. Par la fenêtre, Aristide aperçoit un très gros requin. Il a des yeux menaçants et scrute les maisons qui se sont toutes refermées. Lochon lui raconte qu'un jour le requin est tombé amoureux d'une petite sirène. Mais elle ne l'aimait pas, parce qu'il lui faisait peur. Depuis, il terrorise la ville pour punir les habitants de ne pas l'avoir aidé à séduire celle dont il était tombé amoureux.

– Qu'est devenue la petite sirène ? demande Aristide.

– Il l'a enfermée dans la cale d'un vieux bateau. Elle n'a le droit de voir personne… Sans plus attendre, Aristide se faufile hors de la ville jusqu'à une vieille épave de bateau. Par un hublot, il aperçoit la petite sirène attachée à un vieux coffre.

Elle pleure en silence.

Aristide a un mauvais pressentiment.
Il se retourne, et se trouve nez à nez avec
le requin qui s'apprête à le croquer… Aristide
appelle alors la méduse à son aide. Elle éclaire
le requin, projetant une ombre gigantesque derrière
lui. Le requin se retourne, voit la taille de l'ombre noire
et s'enfuit à toute vitesse, croyant qu'un énorme monstre va foncer sur
lui… Débarrassé du requin, Aristide peut enfin libérer la petite sirène qui
éclate de joie. Elle tournoie sur elle-même en riant pour se dégourdir
les nageoires.

– Tu es mon sauveur ! Comment puis-je te remercier ?

– Si tu peux me ramener à la surface, j'aimerais retrouver mes parents.
Alors, elle met son index sur son nez et le bouge de droite à gauche.
Un tourbillon emporte Aristide, ses flotteurs réapparaissent
et il remonte comme une bulle, juste à côté de son papa…
en pleine discussion avec un petit hippocampe !

Les vacances sont finies !

« C'est dommage que les vacances soient déjà finies, on s'est tellement bien amusés…
– Ne soyez pas tristes, les enfants, dit le papa. J'ai une surprise ! »

Dans la famille des magiciens, on n'a pas besoin d'album-photos, on utilise le miroir aux souvenirs… C'est un miroir magique : lorsqu'on prononce la bonne formule, tous les souvenirs apparaissent.

« Miroir, joli miroir,
explore nos mémoires.
Montre nos souvenirs,
les meilleurs et les pires.
Et nous aurons la chance
de revoir nos vacances. »

Le miroir s'illumine aussitôt et montre Jolieville-sur-Mer, la ville où ils ont passé leurs vacances.

277

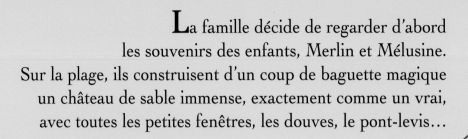

La famille décide de regarder d'abord
les souvenirs des enfants, Merlin et Mélusine.
Sur la plage, ils construisent d'un coup de baguette magique
un château de sable immense, exactement comme un vrai,
avec toutes les petites fenêtres, les douves, le pont-levis…

« À mon tour, dit la maman. Je veux voir un de mes souvenirs ! »
Elle apparaît allongée sur le sable, chassant les nuages dès
qu'ils cachent le soleil, grâce à une formule magique :

« Coquins de nuages, ne gâchez pas mon bronzage !
Allez donc voir ailleurs, et que mon ciel soit meilleur. »

Et tous les nuages disparaissent.

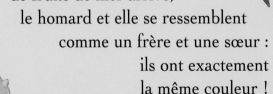

Mais à force d'être au soleil, sa peau devient
rouge, très rouge, complètement rouge…
Le soir, au restaurant, lorsque le plateau
de fruits de mer arrive,
le homard et elle se ressemblent
comme un frère et une sœur :
ils ont exactement
la même couleur !

« Nous avons bien ri, ce jour-là ! dit le papa.
À mon tour maintenant de revoir mes souvenirs ! »
On le voit alors sur sa barque, parti pêcher la sardine. Mais il
en a vite assez de ramer, il utilise donc la magie pour se faire
aider : sa barque est alors tirée par vingt dauphins et
cent goélands, et poussée par une baleine…
Elle va si vite que le papa se retrouve en un instant
sur les plages du Canada !

« Mais alors, tu étais vraiment au Canada !
s'exclament les enfants. Nous avons cru que tu plaisantais
quand tu nous as rapporté du sirop d'érable comme souvenir
de ta journée de pêche…
– Vous savez pourtant, répond le papa, que tout
est possible dans notre famille !
– Les lapins tirent sur ma manche, s'exclame
la maman, je crois qu'eux aussi veulent voir
leurs souvenirs ! »

Apparaissent alors
dans le miroir Hopus et Pocus,
les deux lapins, ainsi que Merlin et Mélusine.
Les enfants décident de se transformer en lapins. Mais après avoir
bien gambadé, tambouriné, virevolté, ils se rendent compte,
qu'en lapins ils ne peuvent pas prononcer la formule qui les
retransformerait en enfants…

Lorsque les parents voient arriver quatre lapins, ils comprennent vite
ce qui s'est passé. Mais ne sachant pas qui est qui, ils sont
obligés de transformer les quatre lapins en enfants.
Merlin et Mélusine sont soulagés de retrouver leur apparence
normale. Hopus et Pocus, eux, sont tellement contents d'être
des enfants qu'on les autorise à le rester toute la journée…
« Ce sont vraiment de bons souvenirs », s'exclame alors
toute la famille.

Les aventures d'Inès

Dans mon pays, tout est gris. Tout a la couleur de la pluie. Par la fenêtre de ma chambre, je ne vois que la ville. La ville à perte de vue et un petit coin de ciel, tout gris lui aussi.

« Inès, que regardes-tu à ta fenêtre ? me demande souvent maman.

– Je ne sais pas, maman.

Je cherche quelque chose qui n'est pas là… »

Mais un jour, j'ai répondu à maman par une autre question :

« Est-ce parce qu'il fait toujours gris que je porte ce drôle de prénom qui commence par un I ?

I comme dans igloo, I comme dans pluie ? »

Maman a éclaté de rire et m'a dit : « Tu n'as pas du tout un nom de pluie, ma chérie, tu as un nom du soleil !

– Du soleil ?!

– Oui, Inès est un prénom qui vient d'Espagne. Nous te l'avons donné, car c'est dans ce pays que ton papa et moi, nous nous sommes rencontrés. Pour nous, tu sais, Inès, c'est le prénom de l'a… »

Zou ! Je n'ai même pas écouté la suite. Déjà, je filais dans le salon et j'ouvrais le *Grand Atlas du monde*. Sur la page de l'Espagne, j'ai vu des châteaux, des taureaux et des danseuses de flamenco. Mais surtout, j'ai vu des bateaux… Des bateaux à grandes voiles blanches voguant sur l'océan.

« Ce sont les caravelles espagnoles de Christophe Colomb, l'explorateur qui a découvert l'Amérique en 1492 », est venue chuchoter maman à mon oreille.

Toute la nuit, j'ai rêvé du soleil, du vent et de la mer. J'ai rêvé d'aventures pleines des couleurs de l'arc-en-ciel.

Mais quand je me suis réveillée, il faisait gris. Gris souris. Gris de pluie.

C'était lundi. Il fallait partir à l'école…

Je marchais tristement sur le trottoir, mon cartable sur le dos, quand soudain, dans la vitrine d'un magasin, une grande boule jaune s'est mise à briller. À briller comme un soleil !

C'était une mappemonde lumineuse, avec tous les pays du monde dessinés dessus…

« Elle s'est alloumée sourrr ton passage, elle veut té parrrrler ! »

a fait une voix chantante tout près de moi.

J'ai sursauté. Sur le seuil de la boutique était apparue une très vieille dame habillée en rouge et qui roulait terriblement les « r » !

« Euh… qui veut me parler, madame ?

– La mappémonde, parrrdi ! Elle est magique !

Comment t'appelles-tou, pétite ?

– Je m'appelle Inès. »

À peine avais-je prononcé mon prénom que la mappemonde se mit à tourner…
à tourner toute seule !

Quand elle s'arrêta,
j'avais l'Espagne devant moi !

La vieille dame claqua des doigts et la mappemonde se retrouva à l'instant
même entre mes bras.

« J'ai lou dans ton cœur, Inès. Ce soirrr, à la nouit tombée, pose le doigt sur lé
pays dou soleil, et tou trouveras enfin ce que tou cherches ! »

Le soir venu, j'ai attendu que tout le monde dorme à poings fermés. Puis je me
suis levée, je me suis approchée de la mappemonde et… clic ! elle s'est allumée.
J'ai murmuré mon prénom et aussitôt, elle a fait trois petits tours et le pays du
soleil s'est arrêté devant moi.

Alors j'ai posé le doigt dessus
et fermé les yeux…

Quand je les ai rouverts, le soleil brillait si fort que j'en étais tout éblouie. Autour de moi, quel brouhaha ! Une foule de gens criaient, couraient, me bousculaient. Où étais-je ? Je serrais la mappemonde restée entre mes bras… J'étais perdue !

Lorsque mes yeux se sont habitués à la lumière, j'ai relevé la tête. Haut, de plus en plus haut… Et je les ai vues. Plus hautes que des montagnes, leurs grandes voiles blanches étendues : les caravelles de Christophe Colomb !

« Hé ! gamin. Prends ce colis et file le mettre en cale. »

Incroyable, un marin venait de me parler en espagnol et j'avais tout compris. Mais surtout, il m'avait prise pour un garçon. C'est vrai qu'avec mes cheveux courts et mon pyjama corsaire, je devais avoir l'air d'un petit matelot.

Quelle chance ! Tout heureuse, j'ai pris le colis, posé ma mappemonde dessus et escaladé la passerelle.

À moi l'océan !
À moi le soleil !
À moi l'Amérique !

291

« Larguez

les amarres ! »

Le cri du marin a résonné et le bateau s'est écarté du quai. Perchée sur la proue, j'ai regardé la terre s'éloigner et les matelots faire de grands signes d'au revoir à leur famille. Le cœur battant, j'ai pensé à mes parents, à ma chambre et à mon petit coin de ciel gris. Il allait falloir être très brave pour affronter ce long voyage toute seule, petite fille incognito parmi tous ces loups de mer.

« En seras-tu capable, Inès ? » me répétait une petite voix au-dedans de moi.

Heureusement, je me suis vite fait un copain.

« Comment t'appelles-tu, bonhomme ? me demanda le marin qui m'avait parlé sur le quai.

– Je m'appelle Inè… euh… Pablo !

– Moi, c'est Pedro. Bienvenue à bord ! »

Et bientôt, tout le monde me surnomma « Pablo le mousse ». J'étais tellement heureuse : moi, la petite Inès du pays de la pluie, j'étais devenue le mousse du grand capitaine Christophe Colomb !

Sauf qu'être mousse, ce n'est pas si rigolo ! Toute la journée, on me donnait des ordres : « Pablo, épluche les patates ! Pablo, frotte le pont ! Pablo, lave la vaisselle ! Pablo, fais ci, fais ça… » Tu parles d'une aventure ! Jamais on ne me laissait toucher au gouvernail, ni tirer les voiles, ni grimper en haut du grand mât.

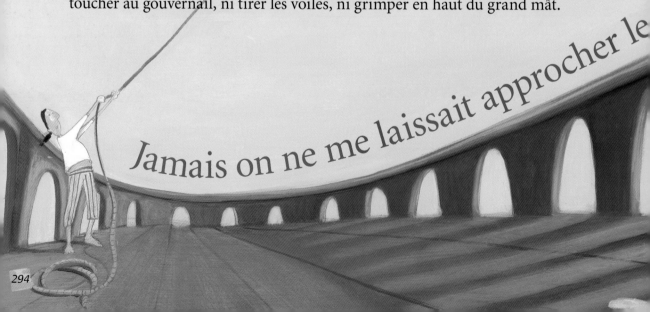

Jamais on ne me laissait approcher le

capitaine.

Et le soir, quand je me couchais toute seule sur ma paillasse dans la cale, personne ne venait me dire : « Bonne nuit, Inès. Dors bien ma chérie. »

Dans le noir, je caressais ma mappemonde qui brillait, et je pensais à ma maman et à mon papa… Il aurait suffi que je pose le doigt sur le pays tout gris, le pays de la pluie, pour rentrer chez moi et les retrouver. Pour redevenir une petite fille comme les autres. Mais non ! Moi, je voulais être brave. Je voulais continuer mon voyage jusqu'au bout et trouver mon Amérique !

Enfin, une nuit, le roulis du bateau me réveilla en sursaut. Je me levai et montai sur le pont.

C'était la tempête !

Vite, je me précipitai pour aider les marins à écoper le navire. Mais on me repoussa : « Va-t'en, marmot. Ce n'est pas ta place, ici ! »

Même mon ami Pedro ne voulait pas de moi :

« Retourne dans la cale. Tu es trop petit ! »

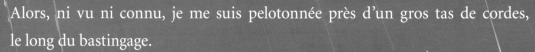

Alors, ni vu ni connu, je me suis pelotonnée près d'un gros tas de cordes, le long du bastingage.

Je me tenais là, immobile et minuscule, quand soudain… Aaaaaah !

Un cri horrible me perça les tympans. D'un bond, j'étais debout ! J'ai regardé par-dessus bord : c'était mon ami Pedro qui était tombé à l'eau. Il se noyait ! Il fallait agir… et vite !

J'ai crié à pleins poumons : « Un homme à la mer ! »

Puis j'ai saisi la corde qui était à mes pieds, et de toutes mes forces je l'ai lancée loin, le plus loin possible dans la mer.

Bingo !

Pedro l'a rattrapée. Et j'ai tiré… tiré… tiré… Je ne sentais plus le vent qui fouettait mon visage ni les vagues qui giclaient sur mes bras. Une seule chose comptait pour moi : sauver mon ami Pedro. Bientôt, les autres matelots sont venus m'aider et ensemble, nous avons réussi à hisser Pedro sur le pont.

Sain et sauf !

J'étais si heureuse que de grosses larmes de joie se sont mises à
rouler sur mes joues. Des larmes de fille ! J'allais m'enfuir au fond
de la cale pour les cacher lorsqu'un des marins m'a retenue par le bras :
« Pablo, t'en va pas. On a besoin de toi sur le pont ! »

Quelle nuit, mes amis ! Jusqu'à l'aube, j'ai lutté contre la tempête, vidé des
seaux, tiré des cordes, aidé à manœuvrer la caravelle. Au petit matin, enfin, la
mer s'est calmée. Un grand soleil est apparu dans le ciel. J'étais épuisée, mais
tellement fière !

À partir de ce jour, plus jamais je n'ai épluché une pomme de terre, plus
jamais je n'ai lavé le pont. Finie Cendrillon ! Fini le ciel gris ! J'étais devenue

« Pablo le téméraire » !

Et le soir, avec Pedro, je montais tout en haut du grand mât pour regarder le soleil se coucher sur la mer.

Un matin, le vent est tombé, la mer est devenue plate comme une assiette et les voiles de la caravelle ont dégringolé comme un papillon qui tombe du ciel. Je suis montée tout en haut du grand mât,

j'ai regardé l'horizon et je n'ai vu que le soleil…

rien que le soleil !

À bord du navire, la grogne montait parmi les matelots.

« Ce capitaine Colomb est complètement fou : il dit qu'il y a une terre tout au bout de la mer…

– Tu parles, il n'y a rien du tout ! Il n'y a qu'un grand trou, et on va tous tomber dedans !

– On n'a bientôt plus d'eau potable ni de nourriture !

– Nous sommes arrivés au bout du monde, nous sommes fichus ! »

J'écoutais les plaintes des marins rassemblés sur le pont et j'étais très étonnée : c'est vrai qu'il y a cinq cents ans, en 1492, tout le monde croyait que la Terre était plate comme une assiette, et que lorsqu'on était arrivé au bord, on dégringolait dans l'espace tout noir…

Sur le visage des marins que j'admirais tellement, j'ai vu la peur et la colère.

« J'ai envie de rentrer chez moi. Je ne veux pas mourir ! » sanglotaient les uns.

« Il faut faire demi-tour !

À bas le capitaine ! » criaient les autres.

Moi, je pensais à ma mappemonde cachée sous ma paillasse tout au fond de la cale. Ma mappemonde qui pouvait me ramener chez moi.

305

Je pensais à mes parents qui devaient s'inquiéter. Ils m'aimaient tant. « Pour nous, tu sais, Inès, c'est le prénom de l'a… » m'avait dit maman. Mais je ne l'avais pas écoutée !

Eh bien non, je n'allais pas rentrer ! Je n'allais pas abandonner mes amis quand tout allait mal, quand tout était gris. Ils avaient besoin d'être encouragés et je pouvais le faire. Foi d'Inès ! Car le monde n'est finalement pas si sombre lorsqu'on partage la petite lumière que l'on a dans le cœur.

Zou ! J'ai filé dans la cale et j'ai remonté ma mappemonde sur le pont. Comme elle brillait dans le soleil couchant !

« Regardez ! j'ai crié. Cette lumière magique va nous montrer le chemin ! »
Je suis montée en haut du grand mât avec ma mappemonde sous le bras, et je
l'ai tendue vers le ciel en murmurant mon prénom. Elle s'est mise à tourner,
tourner… Quand elle s'est arrêtée, l'Amérique scintillait, dessinant sur la mer
un sillage argenté.

Et le capitaine Christophe Colomb, qui venait de sortir sur le pont, a crié de
toute sa voix :

« Le vent se lève.
Hissez les voiles !
Cap sud-sud-ouest ! »

Le lendemain matin, la terre était en vue. Et quelle terre ! C'était le paradis : partout des fleurs, des fruits et toutes les couleurs du monde réunies.

Notre navire a jeté l'ancre près du rivage et nous sommes descendus dans de petites barques pour rejoindre la plage. J'étais assise sur la toute première, ma mappemonde sur les genoux, et j'accompagnais Christophe Colomb. Quel honneur !

Lorsque la barque toucha le sable, il me dit :

« Je peux te dire un secret, Pablo ?

– Oui, capitaine !

– Eh bien, c'est bizarre… Je ne reconnais pas ce pays. Je cherchais à rejoindre les Indes en traversant l'Atlantique, mais il me semble que j'ai trouvé autre chose… »

J'ai éclaté de rire : «Ça ne m'étonne pas, capitaine ! Pour moi, c'est pareil. Je cherchais l'aventure, je cherchais un ailleurs plus beau et plus doré que le pays où j'habitais, et j'ai trouvé autre chose…

J'ai trouvé qui je suis !

– Et qui es-tu donc, Pablo ? »
m'a demandé Christophe Colomb.

À cet instant, un Indien s'est avancé sur la plage. Il m'a tendu une grande fleur rouge, rouge comme un cœur, et il m'a dit dans sa langue :

« Un cadeau pour la petite fille au rire qui sonne comme la pluie. »

Alors j'ai répondu à Christophe Colomb : «Ça, c'est mon secret à moi et à l'Indien ! Si vous apprenez sa langue, si vous devenez son ami, alors vous découvrirez qui je suis. Sinon… tant pis ! »

Et, posant mon doigt sur la mappemonde, j'ai regardé une dernière fois les couleurs de l'Amérique, les navires aux grandes voiles blanches, la mer et tous mes compagnons de voyage. Et j'ai murmuré :

« Je m'appelle Inès, je ne vous oublierai jamais... »

Je suis revenue dans le pays tout gris, le pays de la pluie. Par la fenêtre de ma chambre, je vois la ville, la ville à perte de vue et un petit coin de ciel, tout gris lui aussi. Mais tout ce gris ne me paraît plus triste aujourd'hui !

D'ailleurs, je ne passe plus guère de temps à la fenêtre. Il y a tant de choses plus intéressantes à faire dans la vie. Comme jouer aux pirates avec ses amis. Ou sauter sur son lit.

Ou bondir dans les flaques sur le chemin de l'école !

Jamais je n'ai revu ma mappemonde ni le magasin de la vieille dame qui roulait les « r ». Ils ont disparu, comme par magie ! Et jamais mes parents ne se sont aperçus que j'étais partie. Car mon voyage s'est déroulé en une seule nuit !

Mais moi, je sais que ce n'était pas un simple rêve. Parce qu'à mon retour, sous mon oreiller, j'ai trouvé une grande fleur rouge, rouge comme un cœur.

Il me suffit de la regarder pour me rappeler que la vie est une merveilleuse aventure. Pour me rappeler que je suis Inès, la petite fille au rire qui sonne comme la pluie, aux yeux où brille le soleil. Inès, dans la langue de chez moi,

c'est le prénom de l'amour.

À l'assaut
de l'Himalaya

« Où allez-vous d'un si bon pas, Madame l'Araignée ?

– Participer à un concours : je vais escalader l'Himalaya !

– L'Himala-quoi ?

– L'Himalaya ! Renseignez-vous, Mademoiselle la Taupe, c'est la plus haute chaîne de montagne de la planète. »

Vexée, la Taupe rentre sous terre, met ses lunettes et se plonge dans son atlas.

Ah ! voilà la page « Himalaya » : des montagnes à la chaîne, un sommet qui s'élève au-dessus des nuages, et des températures qui descendent bien au-dessous de zéro…

Au pied de l'Himalaya, Philomène, la rapide Araignée, n'est pas toute seule. Au grand concours de «par-dessus l'Everest» participent aussi un Chat de gouttière, le fameux Gaspard, un Lézard nommé Max, champion d'escalade, le Singe Passe-Partout, l'Hirondelle Tire-d'aile qui a franchi trois fois le mur du ciel et Igor, un Ours blanc.

Notre Araignée enveloppe ses pattes de chaussettes de soie et tisse quelques fils très solides, en guise de cordes.

La voilà parée !

Voici la règle : le premier candidat ayant atteint le sommet y plantera un drapeau orné de son portrait. Tous les moyens sont autorisés pour y arriver : ramper, voler, grimper…

Attention, trois, deux, un, c'est parti !

Max le Lézard file en tête du peloton. Plus c'est raide, plus il se sent à l'aise. Mais Igor l'Ours le rattrape bientôt…

La course se poursuit…

« Au secours ! »

Gaspard, le Chat de gouttière, est soudain pris d'un terrible vertige : un hélicoptère doit venir le chercher.

À peine arrivé au glacier, Max le Lézard se met à glisser, glisser, et dégringole toute la pente comme une luge folle.

Ça amuse beaucoup l'Hirondelle, qui bat des ailes de plus belle.

« À moi les cimes de l'Everest ! »

Mais soudain elle disparaît dans un épais brouillard blanc…

Elle ne voit plus où elle va, elle se laisse porter par les vents et se retrouve quelques heures plus tard à Tahiti !

Hors concours !

Igor l'Ours est toujours en tête. Il fonce sans s'arrêter, bien décidé à gagner, quand il aperçoit les traces toutes fraîches d'une jeune oursonne… N'écoutant que son cœur, il abandonne la course sans regret.

Au Secours !

armi les concurrents, il n'y a plus que le Singe Passe-Partout et notre jolie Araignée.

D'après vous, qui va gagner ?

Philomène semble bien partie. Ses petites pattes noires s'accrochent à la neige blanche ; elle monte, elle monte…
Encore quelques mètres :
allez, Philomène ! Vite ! Plus vite !
Mais elle va trop vite, et ses pattes s'emmêlent.
« Hourra ! c'est moi le premier !» s'écrie le Singe Passe-Partout, ravi.
Or, voilà que de son sac sort un petit escargot.
Ni vu ni connu, il se laisse glisser sur la glace et y plante un drapeau…
orné de son portrait.

C'est ainsi que le sommet
de l'Himalaya
fut conquis par
un escargot !

Une course en hippokayak

Tous les ans, en juillet, les animaux de la brousse organisent une grande course, sur les flots bleus de l'océan Indien. Et l'équipage qui remporte cette régate est le roi de l'été.

Les règles sont simples : lorsque les premiers rayons du soleil apparaissent, chaque équipage commence à fabriquer son bateau. Une fois l'embarcation achevée, les marins grimpent dedans : ils doivent faire le tour de l'île des palmiers, et revenir à la plage… Mais attention ! Pour être déclaré vainqueur, aucun membre de l'équipage n'a le droit de nager ni donc de mouiller ses pattes. L'année dernière, quand on a découvert que le crocodile avait traîné le bateau du pangolin, les deux tricheurs ont été éliminés !

Chaque année, tous les
animaux essaient
de naviguer avec Fanfan
l'éléphant. Bien sûr, il est très
lourd, mais il arrive à abattre
plusieurs arbres en quelques
minutes, avec son gros front.
Et pendant toute la course,
il souffle avec sa trompe dans la voile
si bien que, même sans vent,
son énorme radeau file sur les vagues.

Les autres constructeurs très recherchés, ce sont les oiseaux : ils sont tellement
habiles avec leur bec, pour faire les nœuds indispensables dans les voiles !
En revanche, personne ne veut de **Raoul l'hippopotame.**
Ce gros nigaud est bien trop lourd pour flotter sur
les petites barques, et bien trop maladroit pour
abattre des arbres ; et en plus, il n'a même
pas de trompe pour gonfler la grand-voile…

Ce matin, dès le soleil apparu, les équipages se mettent à l'ouvrage.

À l'autre bout de la plage, un autre solitaire se désole : comme chaque année, aucune embarcation n'a voulu de Gudule, l'oiseau-spatule.

Avec son grand bec tout plat, il ne sait pas faire de nœuds. Alors, personne n'a besoin d'un oiseau-spatule ! Tristement, Raoul et Gudule s'apprêtent à quitter la plage. Mais soudain, l'oiseau a une idée… Vite, vite, il atterrit sur le dos de l'hippo. Il lui dit : « Raoul, est-ce que tu sais faire la planche ? » L'hippo regarde l'oiseau-spatule, et dit : « Bien sûr. Mais tu sais bien que je n'ai pas le droit de nager ni de mouiller mes pattes, je peux juste flotter… »

L'oiseau répond : « Contente-toi de flotter, et moi je vais ramer ! »

Ils se précipitent vers la mer. Raoul se jette dans l'eau sur le dos, les pattes bien en l'air, au-dessus des vagues. Gudule s'installe sur son ventre, en faisant attention de garder ses palmes au sec. Puis, l'oiseau commence à pagayer : personne n'avait pensé que son bec en spatule faisait une rame très pratique !

Il vise le balcon d'un gros chalet au loin, où des dizaines de
personnes prennent l'apéritif. Il pointe le bâton magique,
se concentre et dit : « Siroto bave de crapaud, sirota poils de chat ! »
Soudain, les boissons se transforment en un liquide vert et les verres
deviennent poilus ! Tout le monde se lève et s'enfuit en courant !
Les copains se tordent de rire si fort qu'ils ont peur d'attirer
l'attention de leurs parents.

Vidi s'empare à son tour du bâton magique. Il le pointe vers sa langue
et fait un grand mouvement dans les airs en disant : « Parlotti,
parlotta, grand nimportekoua ! » Tout le monde se met alors à parler
dans une langue bizarre et rigolote.

Ils entendent leurs parents mélanger les « smurffle, argh, gurgurglu »
avec des grognements d'ours et des cris de coq.

Le plus drôle, c'est qu'ils ont l'air de se comprendre et de trouver leur
comportement tout à fait normal ! Vicky saisit brusquement la baguette,
refait les gestes de Vidi à l'envers et tout rentre dans l'ordre…

OUF !
Personne ne semble avoir rien remarqué !

Les trois copains regardent alors la place du village et chuchotent :
« Tournicoton, tournicota, un manège apparaîtra ! »

Mais au lieu de cela, le ciel devient tout blanc et des flocons
recouvrent le village d'une épaisse couche de neige…

Oh non ! s'écrie Veni, on a dit manège, pas neige !

On va se faire disputer…

Les copains filent se recoucher pour finir leur fausse sieste en ayant très peur que les parents ne les grondent. C'est alors que les trois papas entrent dans la chambre :

– Debout, les enfants, c'est extraordinaire, il neige au mois d'août et il fait 25° ! Prenez vos maillots de bain, on va aller louer des skis et des bâtons. Et les trois copains éclatent de rire, soulagés…

– Chic alors, on y va ! Et nous, on a déjà un bâton !

Lucie
et l'odeur des vacances

Lucie est un peu triste. Cette année, elle part en vacances chez sa tante Anna chez qui elle n'est jamais allée et qui habite, paraît-il, dans un tout petit village de campagne où il n'y a pas grand-chose. Ses amis partent tous pour des destinations incroyables : Martin au Canada, Tristan en Islande, Chloé à la mer. Tous auront de nombreuses choses à raconter en rentrant. Mais elle, elle ne sait pas si ce sera bien passionnant. Tante Anna joue avec elle et l'emmène en promenade, mais très vite toutes les journées se ressemblent et Lucie s'ennuie un petit peu.

Quand elle voit que Lucie est triste, tante Anna lui demande ce qui lui arrive. Lucie lui dit la vérité :

– Je suis désolée, tatie, mais je m'ennuie un peu. Il n'y a pas d'autre enfant avec qui jouer pour changer des balades.

Tante Anna réfléchit…

– Je pourrais peut-être t'emmener voir mon travail… ce n'est pas bien loin : dans la cabane au fond du jardin.

Lucie croyait que la cabane ne renfermait que des outils pour jardiner. En s'en approchant, elle voit qu'une étrange fumée verte s'échappe de la cheminée.

Tante Anna aurait-elle un secret ?

Elle ouvre la porte fermée à clé. La cabane est remplie de fioles multicolores du sol au plafond.

Une odeur inconnue règne dans la pièce.

Un gros chaudron est posé sur le feu qui flambe dans la cheminée. Lucie n'en croit pas ses yeux.

Tante Anna est… sorcière !

– Non, non, rigole tante Anna. Je suis nez.

– Nez ? demande Lucie étonnée.

Oui, je suis la reine des odeurs, lui explique tante Anna.

Un nez est quelqu'un qui crée des parfums. Cette cabane est mon laboratoire. Dans toutes ces fioles, il y a des odeurs différentes. Elles viennent des fleurs du jardin, d'épices, de différents produits…

Tante Anna prend alors une fiole et la donne à Lucie qui reconnaît l'odeur du chocolat au lait. Elle est tellement fascinée qu'elle veut en essayer une autre. Cette fois, c'est l'odeur de la rosée au petit matin. La troisième sent très mauvais : elle contient l'odeur des crottes de rat. Heureusement, la quatrième sent le chewing-gum à la cerise. C'est si incroyable que Lucie aimerait toutes les respirer. Mais il y en a des milliers et, au bout d'un moment, Lucie ne sent plus rien.

– C'est normal, lui explique Tante Anna. Ton nez n'est pas encore habitué. Il faut le laisser se reposer. On reviendra demain. Tu apprendras à reconnaître des milliers d'odeurs.

Un jour, tu pourras créer un parfum rien que pour toi. Lucie est ravie et passe toute la fin des vacances à reconnaître et à mélanger des odeurs avec sa tante.

De retour à l'école, ses amis lui racontent leurs incroyables vacances.
Mais Lucie a, elle aussi, plein de choses à leur raconter et surtout
à leur offrir. Elle sort sa trousse et donne à Martin un crayon qui sent
la pomme d'amour, à Tristan, une gomme qui sent les soldats de plomb
et à Chloé, un stylo dont l'encre a l'odeur des bonshommes de neige.
Elle, elle s'est préparé son agenda : ses pages sentent la barbe à papa…
sauf les pages des prochaines vacances. Ces pages-là sentent des milliers
d'odeurs à la fois. Elles sentent la cabane de tante Anna !

Nicolas,
et l'ogre de la forêt

Il était une fois un **monstre terrifiant**, le plus terrifiant qu'on puisse imaginer ! Il avait de grandes dents en forme de lame de couteau, des griffes à la place des ongles et un ventre à quintuple bidon.
On l'appelait…

L'OGRE !

Cet ogre habitait dans une forêt profonde
où personne n'osait s'aventurer, sauf quelques
jeunes fous que l'on n'avait plus jamais revus.
On disait : « L'ogre a dû les dévorer tout crus
et sans assaisonnement, ni vu ni connu… »

Tous les papas et les mamans qui habitaient non loin de la forêt avaient mis en garde leurs jeunes enfants :

« Attention ! Ne vous promenez jamais dans les environs du grand bois, l'ogre pourrait vous emporter… »

Et tous les enfants sages écoutaient leurs parents… Enfin, tous sauf un ! Il s'appelait Nicolas et il riait aux éclats quand son papa lui parlait de l'ogre avec des airs terrifiants.

Ce jeune garçon n'avait peur de rien ni de personne parce qu'il savait qu'il remporterait toujours et partout la victoire. Nicolas signifiait « celui qui est victorieux » et, fort de cette certitude, Nicolas ne doutait jamais de lui ! Depuis son plus jeune âge, il avait l'habitude de vaincre les méchants…

Tout petit, il avait tiré la langue à la vieille sorcière Carabosse et elle en avait avalé son balai ! Raide morte sur le coup.

Ouste ! plus de sorcière **dans la région.**

À quatre ans, après maintes parlotes et entourloupettes, il avait convaincu le Capitaine Crochet de déménager sur l'île de Peter Pan.

Et zou ! plus de vilain pirate **près des plages.**

À cinq ans, il avait fait tomber les Dalton dans un piège et les avait rendus à Lucky Lucke.

Et hop ! plus de dangereux bandits **à moins de dix mille lieues à la ronde.**

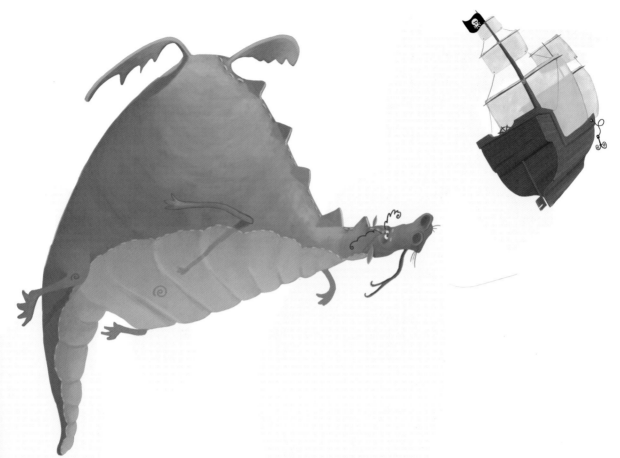

À six ans, il avait délogé un énième dragon qui s'était installé dans le château abandonné de la Belle au bois dormant : il l'avait tout simplement convaincu qu'il serait mieux logé devant la Porte des enfers et qu'il y ferait bien plus chaud !

Au revoir, monsieur le dragon, et ne revenez jamais !

Aussi, depuis qu'on lui avait parlé de l'ogre de la forêt, Nicolas n'avait qu'une seule envie : aller lui rendre une petite visite !

Or le papa et la maman de Nicolas en avaient assez de toutes ces aventures où Nicolas risquait sa vie. Ils lui demandèrent d'être sage, d'aller à l'école et de leur rapporter de très bonnes notes. Quelques semaines passèrent et Nicolas était devenu obéissant (enfin, c'est ce que ses parents croyaient…).

Rassurés, ils voulurent le récompenser et lui offrirent un petit chien de compagnie. Or, quelques jours plus tard, le chien aboya longtemps et très fort, puis il hurla à la mort pour alerter le papa et la maman de Nicolas. C'est qu'il fallait venir vite pour sauver ce coquin de Nicolas.

Il allait faire une grosse, très grosse bêtise !

Il s'était mis en tête d'aller voir l'ogre et préparait un énorme sac de voyage…

Très inquiets, les parents de Nicolas se mirent dans une grande colère !
Ils confisquèrent le sac à dos et tout ce que Nicolas avait mis dedans…
et ils félicitèrent le toutou,

si bon gardien !

Mais Nicolas n'avait pas dit son dernier mot.
Un soir, alors que la nuit était noire comme un
encrier, Nicolas décida de partir dans la forêt.
Ses parents dormaient profondément et le chien
ronflait sur sa couette. Il se glissa dehors et marcha
tranquillement vers l'antre de l'ogre ! Quelques
instants plus tard, il écartait les branches de grands
sapins, enjambait de grosses souches hérissées
d'épines et faisait ses premiers pas dans la forêt.

Mais Nicolas fut subitement arrêté par quelque chose
qui lui attrapa le bas du pantalon…

C'était le chien de Nicolas ! Réveillé par le bruit de la porte, il l'avait suivi à la trace. Mais à l'orée de la forêt, il avait pris peur. Il lui tiraillait le bas du pantalon avec acharnement et lui montrait du bout du museau où se trouvait le chemin de la maison.

Non, non ! Pas par là ! ce n'était pas du tout la bonne direction…

Mais Nicolas était têtu.

Alors, voyant qu'il n'abandonnerait pas son idée folle, le chien le suivit courageusement, sans le lâcher d'une semelle, toute la nuit. Soudain…

Crac ! Boum ! Crac ! Boum !

… au petit matin, un bruit étourdissant déchira l'air ! La terre se mit à trembler et les arbres se couchèrent au passage d'un géant aux grandes dents…

l'ogre !

« Bonjour, monsieur ! » dit Nicolas, pas du tout impressionné par sa haute taille.

L'ogre se baissa, regarda ce jeune garçon d'un air ahuri et lui répondit :

« Pourquoi ne t'enfuis-tu pas tout de suite, comme tous les autres enfants ?

– Pourquoi devrais-je fuir ? répondit simplement Nicolas.

– Parce que je suis un ogre et les ogres, ça mange les enfants…

– Et moi, dit Nicolas en l'imitant de sa plus grosse voix, il paraît que je suis un ogre aussi. C'est ce que me dit ma maman quand je dévore ses gâteaux au chocolat. Et c'est aussi ce qu'elle dit de mon chien quand il engloutit ses croquettes. »

Le chien approuva en aboyant et en montrant ses dents. Il voulait lui aussi impressionner l'ogre. Celui-ci, très grand et très costaud, s'étonna de voir des ogres si différents de lui. Mais heureusement pour Nicolas et son chien, il était un peu bête !

« Ah ! ben, ça change tout !!!

Je n'avais jamais vu d'ogres aussi petits...

346

Puisque vous êtes de ma famille,

je vous invite chez moi à déjeuner »,

dit-il avec un air de gourmandise

qui ne rassura pas du tout le chien.

L'ogre était ravi. Il n'avait jamais eu de visiteurs et il se sentait souvent un peu seul. Il conduisit donc avec entrain Nicolas et son chien jusqu'à son antre et les fit entrer. Une forte odeur de pourri leur chatouilla les narines. L'ogre, gêné, s'excusa :

« Je n'ai pas eu le temps de faire le ménage depuis 150 ans.

Personne ne veut travailler chez moi ! J'ai pourtant passé une annonce dans le village, mais personne ne s'est jamais présenté. Alors ma vaisselle s'entasse et mes poubelles s'amoncellent…

– Avez-vous pensé à passer une annonce chez les ogres ? lui répondit Nicolas.

– Non ! pourquoi ?

– Peut-être accepteraient-ils plus facilement de travailler pour vous… »

L'ogre, qui n'avait pas réfléchi depuis 250 ans, pensa que Nicolas était un petit ogre de génie.

Le chien, lui, pensa que Nicolas était fou. Il allait faire venir dans la région d'autres ogres ! Comme si un seul ne suffisait pas !

L'ogre demanda alors à Nicolas de l'aider à rédiger son annonce. Nicolas dicta :

« *Avis à tous les ogres du monde. Ogre cherche un employé ogre, très bien rémunéré, logé, nourri (déjeuner de petits enfants tous les matins, déjeuner de famille entière à midi, soupe de petits enfants le soir).* »

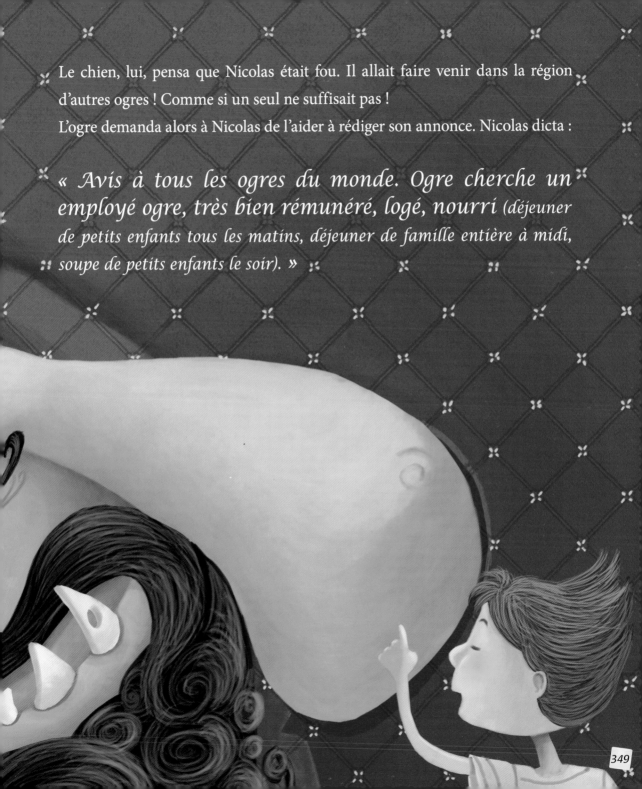

349

« **Mais** ce n'est pas vrai !
dit l'ogre.

Je n'ai pas d'enfants à lui donner.

Je n'ai jamais réussi à en attraper ! Quand ils me voient, ils s'enfuient à toutes jambes au-delà de la forêt et je suis trop lourd pour courir aussi vite qu'eux. La seule chose que je mange, ce sont des rats. J'en trouve des centaines dans mon jardin. Avec cette annonce, tous les ogres du monde vont vouloir travailler pour moi !

– Eh bien, tant mieux ! lui répondit Nicolas. En ayant le choix, vous aurez ainsi le meilleur employé du monde ! Vous serez tel un prince accompagné de son serviteur. »

L'ogre se réjouit et prit déjà un air de grand seigneur… Puis il appela son messager, un vieux cacatoès déplumé, et l'envoya réciter à tous les ogres de la Terre sa petite annonce. L'oiseau prit son envol et disparut dans le ciel.

Le chien continuait désespérément à faire « non ! non ! » de la tête ! Comment Nicolas pourrait-il remporter une victoire contre tous les ogres du monde ?

« Et maintenant,
passons à table ! »
hurla l'ogre.

D'un grand geste, il déposa devant ses convives une cage de fer grouillante de rats. « **Nous dînerons plus tard**, dit Nicolas devant ces bestioles répugnantes. Regardez-vous dans le miroir… Il faut vous mettre au régime, prendre un bon bain, mettre des habits neufs et puis vous couper les ongles, vous limer les dents, et…

Nicolas et son chien prirent donc congé des amoureux et rentrèrent chez eux. La forêt avait repris son air tranquille, les oiseaux chantaient, les écureuils sautaient de branche en branche. Jamais au grand jamais on n'eût dit qu'il y avait eu un ogre par ici…

De retour chez eux, Nicolas et son chien furent fêtés comme il se devait, en héros !

Et zou, il n'y avait plus d'ogres, de vrais ogres, sur la planète Terre !

Mais tout à coup, le soleil se voila. Un énorme vaisseau spatial vint se placer au-dessus du village et Dark Vador en personne en descendit. Il demanda aux villageois de se soumettre à ses ordres sous peine d'être réduits en cendres !

Nicolas le victorieux

– car c'est ainsi qu'on l'appelait désormais – éclata de rire et dit à son chien :

« Viens avec moi !
À nous deux, nous vaincrons
ce monstre de pacotille ! »

Le petit pirate esquimau

Akkilokipok, le petit esquimau, rêve de devenir pirate et de parcourir les mers à la recherche de fabuleux trésors. Aussi, après avoir lavé le traîneau de son papa et nettoyé l'igloo pour gagner quelques sous, il se rend à l'igloobrairie et y achète le livre *Comment devenir pirate en cinq leçons*. De retour chez lui, Akkilokipok s'enferme dans sa chambre et se plonge dans l'ouvrage.

Leçon numéro 1 : Avoir un sourire cruel

Akkilokipok se penche sur un gros glaçon qui lui sert de miroir et grimace de son mieux pour avoir l'air très méchant. Lorsque le résultat lui convient, il tourne la page de son livre.

Leçon numéro 2 : Avoir un perroquet

« Voilà qui se complique » pense le petit esquimau. Jamais personne, en effet, n'a vu de perroquet au pôle Nord. Qu'à cela ne tienne, il peint de toutes les couleurs les ailes d'un cormoran, et le tour est joué.

Leçon numéro 3 : Avoir une jambe de bois

Ça, Akkilokipok n'y avait pas pensé. Et l'idée de se faire couper une jambe ne lui plaît pas trop…

« Je traînerai la jambe ! » décide-t-il à la place.

Leçon numéro 4 : Avoir un bateau

« Facile ! s'exclame Akkilokipok. J'ai mon kayak en peau de phoque. »

Leçon numéro 5 : Prendre la mer et partir

Vite, Akkilokipok sort de son igloo, se précipite jusqu'à son petit kayak, le tire pour le mettre à l'eau et… s'arrête net ! Il n'y a pas d'eau… L'hiver s'est installé au pôle Nord et l'eau s'est transformée en glace. Le petit esquimau a bien un sourire cruel, un drôle de perroquet, une jambe pas vraiment en bois et un bateau, mais il n'a pas la mer ! Voilà qui n'arrange pas ses affaires.

« Akkilokipok, viens prendre ton bain ! » appelle alors sa maman.

Le petit esquimau sourit d'un air cruel, traîne la jambe et rentre en criant d'une grosse voix :

« Tremblez, braves gens, je suis le pirate de la baignoire ! »

Le pirate fantôme

Les parents viennent d'acheter une maison abandonnée, remplie de machins rouillés et de trucs poussiéreux qu'ils veulent absolument garder. Depuis, on nettoie, on range, on répare...

C'est tellement fatigant qu'hier soir, je me suis endormi d'un coup.

Au milieu de la nuit, un bruit m'a réveillé. Quelqu'un tapait au plafond. Mon père réparait le grenier, ai-je pensé, énervé. J'en avais marre de ces travaux, marre des coups de marteau en pleine nuit...

J'ai sauté du lit, grimpé à l'échelle et ouvert la porte du grenier.

Il était là. Sa barbe dans le vieux coffre, son pied martelant le sol, son œil droit couvert d'un bandeau.

UN PIRATE !

Surpris, j'ai laissé la porte claquer derrière moi. Il s'est retourné en criant :

« **MORBLEU**, que fais-tu là, moussaillon ?

– J'habite ici et je ne suis pas un moussaillon. Et vous, que faites-vous ici ? ai-je répondu, mi-curieux, mi-fâché.

– Je suis le capitaine Plume. Marin de profession, pirate depuis toujours, fantôme depuis longtemps. Cela fait deux cents ans que je cherche ma boussole magique pour rejoindre mon vaisseau et naviguer vers les cieux. Je suis certain de l'avoir oubliée ici ! »

Et il recommença à fouiller.

« Si je sais où elle est, que me donnerez-vous en échange ? » lui ai-je demandé, car je savais que mon père avait trouvé la veille une étrange boussole à tête de mort.

« Je te laisserai mon journal ! » a promis le pirate.

Je lui ai tendu la main pour conclure le marché et il a craché par terre en jurant : « Parole de forban ! »

Je suis allé chercher la boussole et il m'a suivi en traversant les murs. À peine l'avait-il touchée qu'il a disparu en hurlant :

« **A L'ABORDAGE !** »

Ce matin, j'ai cru avoir rêvé, jusqu'à ce que je voie un vieux livre posé sur mon oreiller : *Le journal du capitaine Plume.* J'ai souri. Je n'avais pas rêvé. Pire, comme mes parents, je me mettais à aimer les vieux trucs poussiéreux…

Table des matières

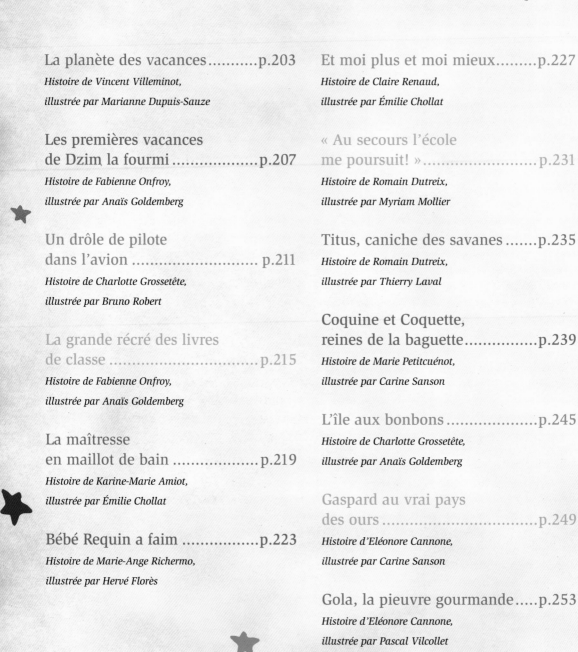